ちくま新書

デジタルで変わる子どもたち

——学習・言語能力の現在と未来

1571

バトラー後藤裕子
Butler Goto Yuko

デジタルで変わる子どもたち——学習・言語能力の現在と未来【目次】

第2章　動画・テレビは乳幼児にどう影響するのか？　063

――マルチメディアと言語習得

はじめに

†デジタル・テクノロジーと教育

過去20〜30年のデジタル・テクノロジーの発達および普及はめざましい。2007年の時点ですでにアメリカでは、生後3か月の赤ちゃんの40％がテレビ、DVD、ビデオなどを定期的に見ており、1歳児ではこの割合が90％に上るとのレポートが報告されて話題になった（Zimmerman et al., 2007a）。その後、スマートフォンやタブレット、パソコンなどのいわゆるニュー・メディアの普及が急速に進み、2015年に発表されたある報告では、アメリカの赤ちゃんは1歳の誕生日を迎えるまでにその35％がタブレットなどのタッチスクリーンに触れ、15％がアプリケーションを使い、12％がビデオゲームをしているという（Sifferlin, 2015）。

日本の赤ちゃんも、動画などマルチメディアに触れる機会が急速に増えてきている。ベネッセ教育総合研究所（2018）の調べでは、2018年には、2歳児の平均で、テレビ（録画を含む）視聴に1日約190分、ビデオ・DVD視聴に約50分、タブレット端末は約40分、スマートフォンの使用に約30分を使っている。子どものデジタル機器の使用はアメリカがけん引する形となってきたが、日本をはじめ、他の多くの国々で、デジタル機器使用の低年齢化・普及は加速的に進んでいる。

中高生にもなれば、ニュー・メディアは生活の中心になっているといっても過言ではないだろう。日本の中高生のスマートフォンの利用率は、2018年で中学生で69・0％、さらに高校生で92・8％と、ほぼ100％に近い利用率となっている。その主な使用目的はLINEなどの通話アプリを介したコミュニケーション、インスタグラムなどのソーシャル・ネットワーク・サービス（SNS）、ゲーム、動画や音楽の視聴である（内閣府2020）。すでに、中高生の間では、友達とのコミュニケーションは、対面型よりも、SNSなどバーチャルな方法が主流となりつつある。

その一方で、日本では、他の先進諸国に比べ、デジタル・テクノロジーの学校教育への導入が遅れている。人工知能（AI）時代に生き残っていける能力を身につけていない若者が大量生産されているのではないかとの指摘もでている（新井2018）。文部科学省は、2019年に、児童生徒一人一台の端末の支給や、電子教科書の導入などを打ち出した。しかし、2020年春、新型コロナ感染拡大で学校閉鎖を余儀なくされた際には、他の多くの先進諸国とは異なり、義務教育では継続的なオンライン授業は一部の例外的なケースを除きほとんど行われず、子どもたちの学校教育は停滞してしまった。

もちろん、デジタル・テクノロジーをとにかく導入すればいいというわけではない。デジタル・テクノロジーは、利便性が高く、人間の活動を大きく広げる機会を与えてくれる一方で、使い方次第では人間の学びを損ねる危険性もある。デジタル・テクノロジーをどのように使っていきたいかという明確なビジョンがないままでの導入は、学びの質の貧困化と画一化を生み出すことにつながりかねない。デジタル・テクノロジーが、人間の認知機能の一部を担うような形で発達を遂げる一方、認知機能の低下を心配する人もいるだろう。活字を読むのが苦痛な新入社員を対象に、マニュアルを文書ではなく動画で作成することで若者の離職率をおさえる努力をしている企業もあるという（日本放送協会２０２０）。

さらに、急速なデジタル・テクノロジーの発達は、アクセスの差による教育格差の問題も浮き彫りにした。ただ、単なるテクノロジーへのアクセスの差だけでなく、社会経済的地位によるテクノロジー使用の質の差も問題にされるべきであろう。デジタル・テクノロジー使用の質の差は、言語習得を含むさまざまな子どもたちの学びのプロセスと結果に、大きな影響を与えると考えられるからだ。

†本書の内容

このような状況を踏まえ、本書では、人間の持つさまざまな能力のなかで最も重要なものである言語という能力に特に焦点をあて、生まれた時からデジタル・テクノロジーに接してきた2000年前後以降に生まれた子どもたち・若者たちのテクノロジー使用と彼らの言語発達・言語能力との関係について考えてみようと思う。その際、主な実証研究をもとにしながら、どのようにデジタル・テクノロジーを選択的・自主的・効果的に使っていくべきなのかを科学的に考察することを目的とする。私たちは、デジタル時代やICT(Information and Communications Technology)、人工知能といった新しいテクノロジーに対して、漠然とした不安や期待感を持っているが、これからますます浸透していくテクノロジー時代のニーズに適切に対応していくには、事実を正確に把握することが第一歩であると考えるからである。

2000年以降に生まれ、デジタル・テクノロジーとともに育ってきた子どもたち・若者たちを、本書では「デジタル世代」と呼ぶことにする。こうした子どもたちを対象としたさまざまな教育的判断をしていくにあたり、私たちはいろいろな疑問に突き当たる。本書では、保護者や教育関係者が、常日頃疑問に思っているような項目をいくつか選んで扱っていく。

第1章では、テクノロジー環境がどのように変わってきたのかを概観し、デジタル世代を取り巻く環境と、彼らのテクノロジーへの取り組みの現状をみてみる。

第2章では、デジタル・テクノロジーと乳幼児の言語習得について考えていく。早期からデジタル・テクノロジーに触れさせてしまうのは、果たしてよいのだろうか。テレビやビデオ・動画の早期からの視聴は、言語発達にどのような影響を与えるのだろうか。乳幼児を対象にしたさまざまな言語教育プログラムがあるが、こうしたプログラムは子どもの認知言語発達に効果的なのか。子ども用の外国語習得のためのアプリはどうなのだろうか。

第3章では、デジタル・テクノロジーがデジタル世代の読解力に及ぼす影響をみていく。リテラシーとは、従来、テクストの読み書きのことを指していたが、デジタル・テクノロジーの浸透で、リテラシーはもはや単なる「読み書き」ではなくなっている。その一方で、学校でのリテラシー教育は従来のままだ。デジタル絵本と紙の絵本とでは、子どものリテラシーに及ぼす影響に何か差があるのか。最近は、仕事や学業の上でも、デジタル機器を使って読むことが多くなってきたが、デジタルでの読み書きのプロセスは、紙上で読み書きする場合とどのように違うのだろう。

デジタル世代はSNSに多くの時間を費やしているが、SNS上で子どもたちは、どんな言語使用をしているのだろうか。そして、こうした言語使用は、学校での読み書きにどのような影響を与えるのだろうか。第4章では、SNSに焦点をあて、デジタル世代のSNS上の言語使用と読解力との関係をみる。

続く第5章では、やはりデジタル世代の心をとらえてやまないゲームを取り上げる。わが子がデジタル・ゲームに何時間も没頭している姿にため息をつく保護者も少なくないと思うが、やはりゲームは時間の無駄でしかないのか。子どもたち自身は、ゲームの持つ学習への潜在的メリットをどのようにとらえているのか。

さらに第6章では、人工知能（AI）の技術が進む中での言語学習を考察してみる。子どもたちはAIロボットとどのような言語コミュニケーションをするのだろうか。機械翻訳技術の進化で、もはや外国語能力は不必要なのか。

私たちが思い込んでいることと、実証データが示すことが、一致しないことも少なくない。実証データを見てみると、テクノロジーを無条件に取り入れるのではなく、いかに使っていくかが大切であることがわかる。テクノロジーを言語習得・言語学習に有効に使うには、テクノロジーという無機質なものに、身体性や社会性、感情や情緒の伝達性を付加して使っていくことの重要さが浮かび上がってくる。

テクノロジーは諸刃《もろは》の剣《つるぎ》であるともいえる。テクノロジーは、学習の効率を上げ、広いネットワークを構築し、英知・情報を集結し、創造性を高めてくれるなど、大きな可能性を秘めている。しかし使い方を間違うと、マイナスの結果を招くことにもなりかねない。効果的・創造的に使うには、どのような条件が必要なのかを的確に知っておくことが大切だ。

さらに、実証データは、デジタル世代の中で、言語能力の格差が広がっていることも示している。このまま対策をとらないと、ある一定の子どもたちは、学校での学習に必要な言語能力（学習能力）の習得が不十分となり、その結果、他教科の学習も不十分なまま、社会にでていくことになってしまう。

その一方で、従来の言語教育で考えてきた言語能力というものを、デジタル・テクノロジーが進歩する中で、見直すことも大切だといえる。必要な言語能力は時代によって変化する。デジタル世代の言語使用も理解しながら、その強みを最大限に活かす教育アプローチの構築が必要だろう。最終章の第7章では、デジタル・テクノロジーの時代に必要な言語能力について提案をしたい。従来、日本の教育のなかで重視されてきた言語知識に加え、非言語的手段も駆使しながら、自律的に、社会的に、そして創造的に言語を使っていく能力が必要だろう。そのような能力を子どもたちが身につけるために、教師や保護者が果たす役割は非常に大切である。

デジタル・テクノロジーの使用に関しては、依存症など、精神発達上の問題もたくさん指摘されている。教育現場ではこれは非常に重要な問題であるが、今回は本書の対象としないことをお断りしておく。本書では、言語能力という面に焦点をあてて、デジタル・テクノロジーが言語能力の発達にどのような役割を果たしていくのかを、言語教育の視点から考えていくことを目的とする。

†用語の整理

本題に入る前に少し用語の整理をしておきたいと思う。テクノロジーとは従来、非常に広範なものを含む。しかし本書では、テレビ、ビデオといった少し前から存在するテクノロジーをはじめ、タブレット、スマートフォン、パソコン等のテクノロジー（ニュー・テクノロジーなどともいわれる）を総称して、デジタル・テクノロジーと呼ぶことにする。そもそもデジタルとは、データを0か1に量子化して処理することで、この方法を用いたテクノロジーがデジタル・テクノロジーとなる。テレビなどは、本来はオールド・テクノロジーに属していたものであるが、最近ではデジタル化され、コンピューターやスマートフォン上で見ることもできるので、本書の対象に入れる。もちろん、近年進化の目覚ましいAI技術もここに含まれる。

同様に、メディアとは、テレビ、コンピューターなどの媒体を通したコミュニケーション全般をさす広義の概念だが、その中でインターネットの出現以前から存在するラジオ、書籍、新聞、テレビなどを「伝統的メディア」、文字、音声、写真、映像など複数の媒体が一体化したものを「マルチメディア」、さらに複数の媒体をコンピューターを使って一体化したものを「デジタル・メディア」という。ただ実際には、現在多くのマルチメディアはコンピューターで使用されているので、「マルチメディア」と「デジタル・メディア」はほぼ同義に使われることが多い。本書でも、特に断りのない限り、「マルチメディア」と「デジタル・メディア」を同義に使う。デジタル化された書籍、新聞、テレビも、デジタル・メディアに含めることとする。

第1章では、そもそもデジタル世代とは誰をさすのか、デジタル世代の子どもたちをとりまく環境はどのようなものなのか、何が彼らに起こっているのかという点から見ていくことにする。

第1章
デジタル世代の子どもたち

1　デジタル世代の登場

†デジタル世代とは？

トイレ・トレーニングが必要な赤ちゃんのためのタブレットつきの「おまる」（幼児用の便座）がアメリカで話題になったのは、2013年のことだ。当時、トイレ・トレーニングを動画で学んだり、おまるに座りながらタブレットを操作する赤ちゃんを見て、「すごい時代がきたなあ」と思ったものだ。しかし、2021年現在、そんなことはアメリカではもう珍しくもなんともなくなってしまった。

生まれた時から、または幼少のころからデジタル・テクノロジーが身の回りにあった人々を「デジタル世代」などと呼んだりする。しかし、デジタル世代は、いろいろな意味で使われてきたし、類似の用語もたくさんある。その中でも言語教育の分野で、物議をかもしたのは、アメリカの教育評論家のプレンスキーが2001年に使った「デジタル・ネイティブ」と「デジタル移民」という用語だろう（Prensky, 2001）。プレンスキーによれば、生まれた時からデジタル・テクノロジーやインターネットに親しみ、ネット世界に抵抗感のない子ども・若者を「デジタル・ネイティブ」と呼び、一方大人になってからデジタル・テクノロジーやネットを使い始めた人たちを「デジタル移民」という。まるで大人になってから別の言語を話す国に移り住んだ移民が、何年たっても外国語アクセントが抜けないのと同様に、「デジタル移民」には「デジタル・ネイティブ」にはない「アクセント」があるとする。電子メールやネットのテクストを、そのままオンライン上で読むことができずに、印刷してみたり、ネットサイトを人に見せたい時に、URL（ネット上の住所）をメールやSNSで送るかわりに、パソコンを持ち出して見せたりなど、「デジタル・ネイティブ」とは違った行動をとってしまうことを「アクセント」というらしい。

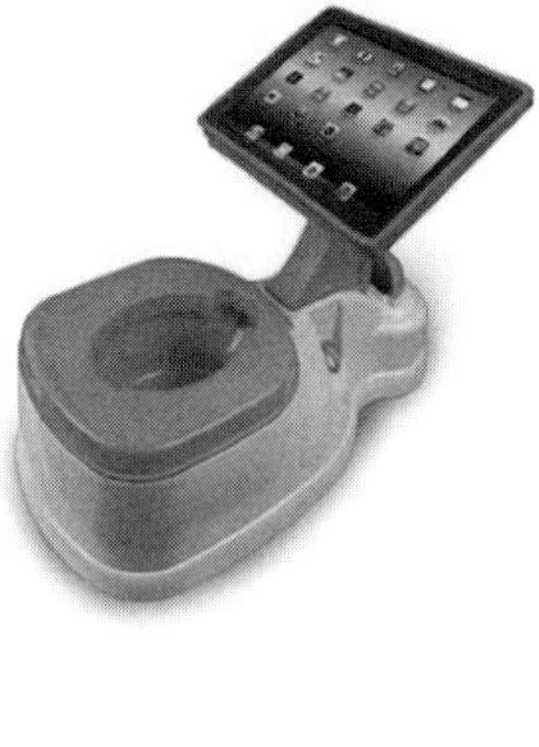

図1－1　タブレット付きのおまる
iPotty　発売：CTA Digital

この「ネイティブ」と「移民」という用語と分類の仕方が問題になったのにはいろいろな理由があるが、その一つとして「アクセント」が持つ否定的な意味合いがある。言語教育の分野では、母語話者が最高の指導者であると無批判に受け入れる傾向（これをネイティブ信仰またはネイティブ誤信などという）があり、批判の対象となってきた。「やはり英語の先生はネイティブじゃなきゃ」と思っている読者もいることだろう（ちなみに、実証的には母語話者が必ずしも優秀な語学教師であるとは限らず、優秀な教師は母語話者か否かにかかわらず、個人の資質によるものだということがわかっている）。「デジタル・ネイティブ」や「デジタル移民」という言葉は、このネイティブ信仰を想起させるところがあったのだろう。もちろん、「移民」に対するいわれのないバッシングや偏見も、こうした用語の使い方を疑問視する背景にあった。さらに、単純に年齢で人々を二分化することへの批判もある。年配者でもデジタル・テクノロジーを使いこなす人もいれば、若者でも、デジタル・テクノロジーから取り残されてしまっている人もいるからだ。

プレンスキーの「デジタル・ネイティブ」と「デジタル移民」の他にも、さまざまな用語が使われてきた。たとえば、ホモ・サピエンスならぬ「ホモ・デジタル」、「デジタル・ユース（若者）」、ジェネレーションX、ジェネレーションYに次ぐ「ジェネレーションZ」、「サイバー市民」、「ネット市民（英語ではInternetとcitizenをひっかけてnetizensなどという）」などだ（Hockly, 2011）。ただし、はやりすたれも激しく、なかなか定着するいい用語がない。ジェネレーションZなどは、一般に1990年以降に生まれた世代をさすが、他の用語はいずれも、デジタル・テクノロジーを長時間使用している人たちをさすため、厳密には必ずしも年齢で規定されるものではない。

　こうした状況を踏まえて、本書では随時変化していくデジタル・テクノロジー環境の中で、子どもたちの言語能力がどのようになっているのか、いったいデジタル・テクノロジーをどのように使っていったらよいのかを考えていきたい。そのため本書では、学校教育の枠の中にいる世代、つまり大学生までの子ども・若者たちを議論の対象とする。だいたい２０００年前後以降に生まれた人たちだ。この年齢層は、個人のレベルではデジタル・テクノロジーの使用状況に大きな違いがあるかもしれないが、基本的にはインターネットが一般に普及してから生を享《う》けており、幼い時から親しんでいる割合が高い。本書ではこのグループを便宜的に「デジタル世代」ということにする。

†デジタル・テクノロジーの歴史

　では、こうしたデジタル世代が、生まれた時から周りに存在していたデジタル環境とはどういうものだったのかを見てみよう。まず、彼らが生まれる以前には、何が起こっていたかを概観してみる。

　最初のコンピューターと考えられている、いわゆる電子計算機が登場したのは１９４０年代である。これは、筆者が勤務する米国ペンシルバニア大学で、軍からの委託を受け、

1943年から極秘に始められたプロジェクトの一環として、50万ドルという巨額の資金（現在の貨幣価値に換算すると600万ドルに相当するといわれている）を投じて作られた。約1万7500本もの真空管を使ったものだが、その計算能力とスピードは当時の人たちをさぞかし驚かせたことだろう。今でもペンシルバニア大学の工学部の建物の一部に、オリジナルの10分の1の模型が展示されているが、その実物は「巨大な脳（Giant Brain）」というニックネームがついたのもうなずける大がかりなものであった。

その後、コンピューターは進化を続けていくが、パーソナル・コンピューター（パソコン）の出現と普及で大きな転換期を迎える。1970年代後半あたりのことだ。パソコンの普及で、コンピューターは一般の人にとって急速に身近なものになっていった。1980年代にかけて、アメリカではIBM PCやアップルのMacintoshが家庭や学校に普及していき、書きことばの出力手段は、タイプライターからワードプロセッサーに移行していく。日本でも1980年代に、日本語入力システム「一太郎」が登場したり、ノートパソコンなどが普及し始め、手書き文化に徐々に変革が訪れていった。

筆者は1980年代後半に日本で大学（学部）を卒業したが、ある同級生がワープロで作成した卒業論文を見て、教授のひとりが「手書きのものを提出しないとはけしからん」と物議を醸《かも》したことをなつかしく思い出す。今だったら逆に、手書きの卒業論文など受けつけてもらえないだろう。多くの大学では、剽窃《ひょうせつ》行為のチェックのためにも、オンラインによるレポート・論文提出が今や義務化されている。日本で携帯電話が一般市民の間で使われるようになったのも、1980年代だ（ただ、ショルダーフォンと呼ばれた、文字通り肩にかける初期の携帯電話は、かなり重量もあり、携帯するのは大変であった）。

　1990年代を通じて、コンピューターの処理速度はどんどん加速し、インターネットが普及していく。筆者は1990年代初めにアメリカで大学院に通っていたが、大学寮のそれぞれの部屋にすでにインターネットの回線が完備されており、学習の仕方がまったく変わったことを身をもって体験した。図書館で遅くまで紙の本を閲覧することが大幅に減り、文献の検索や、レポートの書き方まで大きく変化した。教授や同級生とのやりとりにも、メールを使うのが通常となった。携帯電話も1990年代を通じて、

図1－2　最初の電子計算機ENIAC（1946年頃）　写真：GRANGER.COM／アフロ

スリム化を達成する。日本では１９９０年代に、第二世代携帯電話（２Ｇ）のサービスも始まり、通話だけでなく、データ通信が可能になった。

†デジタル世代を取り巻く環境

本書の対象であるデジタル世代が生まれ育った２０００年ごろになると、ノートパソコンの軽量化、多機能化が進み、タブレット型なども登場する。動画共有サービスであるYouTubeがアメリカで始まったのも、２０００年代半ばだ。瞬く間に世界で人気を博すようになった。日本では携帯電話も第三世代（３Ｇ）を迎え、機能が飛躍的に向上した。日本でカメラ搭載の携帯電話で写真をメールで送る「写メ」が流行したのが、２０００年代前半である。後半には、２００７年にアップル社のiPhoneに代表されるスマートフォンが出現し、その後TwitterやFacebookなど、ソーシャル・ネットワーク・サービス（ＳＮＳ）を使うユーザーが飛躍的に増えていく。ＬＩＮＥなどの無料通話アプリも多くのユーザーを獲得し、コミュニケーションの主たるツールとして普及していった。

テクノロジーのさらなる大変革が起きたのが、２０１０年代の半ば、人工知能AlphaGoが、韓国の碁《ご》の名人を打ち負かしたあたりのことだ。実は人工知能（ＡＩ）の発達は、１９７０年代以降、長い間停滞していた。以前は、プログラマーが何から何までですべてをコンピューターに教え込んでおり、その過程は、人間の知能の膨大さと複雑さを思い知らされる、気の遠くなるような作業であった。その後、機械学習（machine learning）によって、人工知能開発の道は大きな転換点を迎える。大量のデータを与えることで、機械がそのデータを分析し、自律的に学習を行う仕組みができたのである。

さらにその後、人間の神経ネットワーク（ニューラル・ネットワークとも呼ばれる）を応用した深層学習（deep learning）が開発されることで、人工知能はさらなる段階に入る。機械学習ではデータと共に、何を学習するかは人間側が教えていたのだが、深層学習では、AIが学習する対象・事象も自分で見出す。なお、そのような深層学習の出現で、機械学習では手に負えなかった複雑な作業もこなせるようになったものの、現段階では、結果に至る過程がブラックボックス化しているという問題点もある（ただ、深層学習を超える新しい方法への模索も始まっているという〔松尾２０２０〕）。いずれにせよ、人工知能は、話しことばの認識や、翻訳、画像認識など、意識的・分析的な作業だけでなく、ある程度無意識的・直観的な作業においても、人間にも劣らないような精度、または人間を超える精度とスピードで処理できるようになってきたのである。

こうして歴史を概観してみると、デジタル世代が生まれ育った２０００年以降、目まぐるしい速さで、我々の生活をめぐるデジタル・テクノロジーが進化・変化してきたことがわかる。

2　デジタル世代のテクノロジー使用状況

†アメリカの状況

デジタル世代が生まれた時には、すでにさまざまなデジタル機器が存在していた。では、彼らのデジタル・テクノロジーの使用状況はどのようになっているのだろうか。まず、アメリカの状況を概観しておこう。アメリカの状況から始めるのは、アメリカの動向が日本を含む世界的な動きをけん引しており、また、現在入手可能なさまざまな実証研究はアメリカを中心に行われているので、日本との類似点、相違点をおさえておくと、理解の助けになるからだ。

２０２０年に収集されたデータ（Common Sense Media, 2020）では、アメリカの赤ちゃんは、平均月齢９か月からスクリーン・メディア（テレビ、ビデオ、その他のアプリなど）に触れ始める。２歳以前までの間は、一日平均49分スクリーン・メディアに触れており、2～4歳児で２時間30分、５～８歳児で３時間５分になる。赤ちゃんが最初にメディアに触れる年齢は、年々早まる傾向にある。さらに特筆すべきは、乳幼児のスマートフォンによるメディアへのアクセスが増えてきている点である。2020年には、2〜4歳児のほぼ半数にあたる46％が、5〜8歳児の間では67％が、自分専用のタブレットまたはスマートフォンをすでに持っている。

スマートフォンは、アメリカの8歳以上の子どもたちの間では、すでに大きな役割を果たしている。2018年の統計によると、平均10歳で子どもたちは自分のスマートフォンを持つ。10代の約半数は、常にスマートフォンを手放すことができないヘビー・ユーザーである。この割合は、2015年からわずか3年で倍増している（Anderson & Jiang, 2018）。さらに、アメリカの10代の約5割は、12歳になるまでに、SNSのアカウントを持つという（Influence Central, n.d.）。SNSの使用は友達とのつながりが大きく関係してくるので、周りの友だちが始めれば、自分も始めたくなる。2020年の新型コロナウイルスの感染拡大で、家に居る時間が長くなったことで、子どもたちのスマートフォンの依存度は、さらに大きくなっていると予想できる。

アメリカの10代の間で今一番人気があるのが、Snapchat や Instagram など、写真・動画共有アプリだ。一方、この数年で人気が落ちているのが、Twitter や Facebook などの文字への依存度が高めのSNSである（Statista, 2020）。図1－3は、アメリカの10代のS

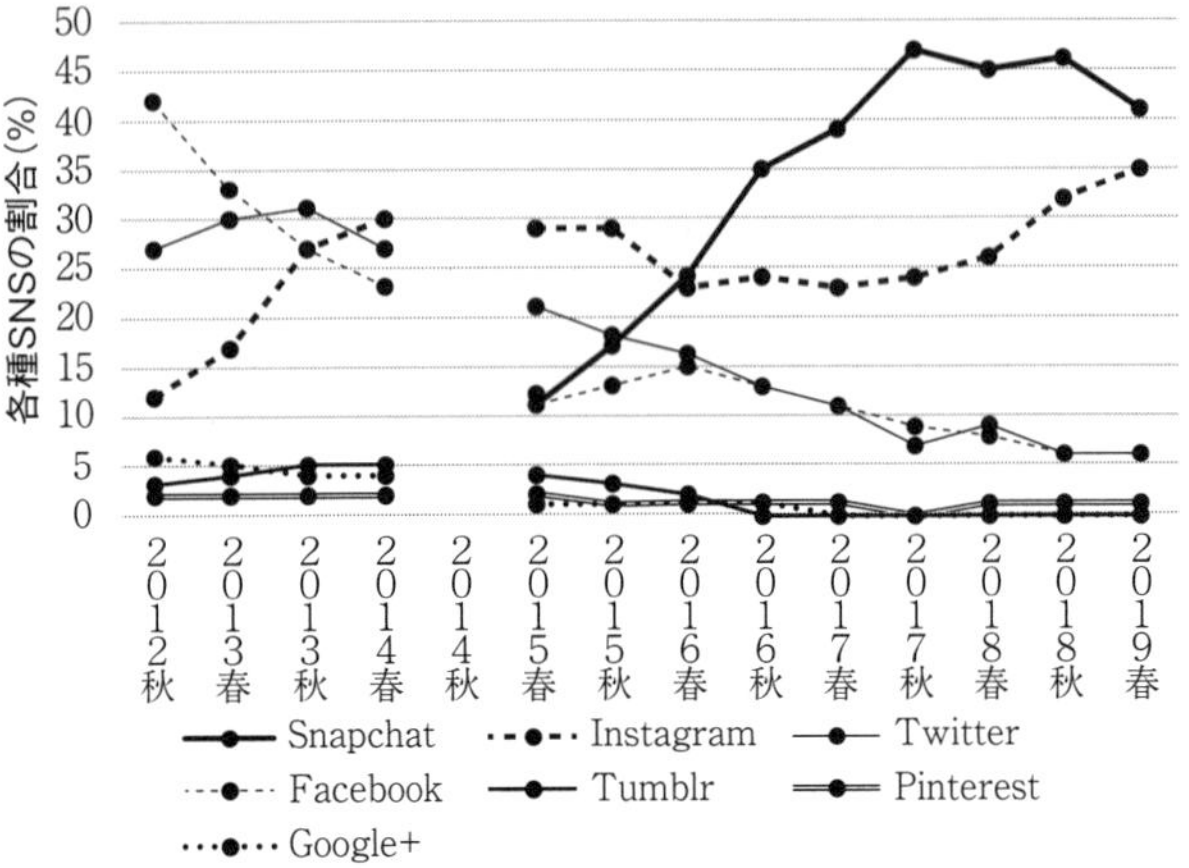

図1-3　アメリカの10代のSNS使用の変遷　出典：Statista（2020）の統計をもとに著者作成

ＮＳ使用の動きを、２０１２年の秋から２０１９年の春まで調べたものだが、この図からも、２０１５年あたりから、写真・動画共有アプリの人気が急速に高まってきていることがわかる。中高年者の間では、TwitterやFacebookが人気で、ＳＮＳの使用には年代別の使用傾向が明確である。筆者のアメリカの学生も、TwitterやFacebookは「おばあちゃんとつながる時だけ使っている」と言っている。

図１-３のデータには含まれていないが、忘れてはならない点が一つある。それは、YouTubeの存在だ。YouTubeは、２０１８年の段階では、アメリカの10代の間では、使用率が堂々１位であった。約85%の10代が、YouTubeを利用しているという。女

子の間ではSnapchatが、男子の間ではYouTubeが一番人気が高い（Anderson & Jiang, 2018）。いずれにせよ、アメリカのデジタル世代で人気を得ているものを見てみると、写真・動画という要素が鍵になるといえそうだ。

ネットの使用時間の長い10代は、そうでない10代と比べると、オンライン上でより頻繁に友達と連絡をとっている。これは想像に難くない。しかし、興味深いことに、ネットを長時間使用しているグループは、ネット以外での友達との付き合い（顔と顔を突き合わせる頻度など）が、ネット使用時間が短いグループと比較して、少なくなっているわけではない。つまり、ネットを長時間使うからといって、必ずしもバーチャルな人間関係に閉じこもっているわけではないらしい。少なくとも頻度に関していえば、ネット使用は、友達同士のコミュニケーションを密にしているのである（Jaing, 2018）。

†社会経済的地位との関係

アメリカでは、スマートフォンの所有率には、今や、社会経済的地位（Socioeconomic Status, SES）による差は見られないが（つまり、経済事情にかかわらず、誰でも持っている）、家庭でのパソコンの使用率や、高速インターネットへのアクセスには、保護者の収入および学歴による差がある。保護者が高収入、高学歴の家の子どもは、ほぼ１００％近いパソコン保有率だが、低所得者やエスニック・マイノリティーでは保有率は7割強に下がる（Anderson & Jiang, 2018）。２０１８年に発表された別の調査では、6歳から17歳までの子どものいる世帯年収が3万ドル（日本円だと２０２1年3月のレートで３２０万円ちょっと）以下のグループでは、約3分の1で高速インターネットの設備が家庭にないと報告している。

アメリカの学校教育は、日本と比べると地域差が非常に大きいため一概にはいえないものの、２０２０年のコロナ危機以前から、平均的には日本の公立学校に比べて、コンピューターやスマートフォンなど、さまざまなデジタル・テクノロジーを使った教育（Information and Communication Technology in Education, ＩＣＴ教育）が進んでいた。そのため、ＩＣＴの活用が不可欠な宿題も少なくなく、個人のデジタル・テクノロジーへのアクセスが、学習に直接的な影響を及ぼしてしまうことへの懸念が高かった。２０１８年の段階で、世帯年収が3万ドル以下の家庭の子どもでは、実に5人に1人が、家庭でインターネットへのアクセスまたはパソコンがないために、宿題ができないことが「よくある」「たまにある」と答えていた（Anderson & Perrin, 2018）。この問題は、２０２０年には新型コロナウイルスの感染拡大で、オンライン授業が小中学校でも多くの地域で実施されることになり、教育へのアクセスの問題として深刻化した。

デジタル・テクノロジーへのアクセスの格差の問題はどこの国でも深刻であり、アメリ力だけの話ではない。デジタル世代の子どもたちが、みんな同じように、テクノロジーの恩恵を受けられる環境に置かれているわけではない。日本でも、新型コロナウイルス感染防止のための自宅待機中に、デジタル・テクノロジーへのアクセスがネックになり、小・中学校でオンライン授業がなかなか進まなかったことは記憶に新しい。

さらに、アクセス自体が整っていても、どのようにテクノロジーを使うかにも、社会経済的地位による違いがある。デジタル世代の間のテクノロジー・リテラシー（テクノロジーに関する知識や技術）がみな高いわけではない。テクノロジーの進歩が加速化する中で、テクノロジー・リテラシーの格差と、それによる学力の格差の問題は、ますます拡大しているといわれている。

†日本の状況

日本では、総務省情報通信政策研究所が、2013年より毎年、国民の情報通信メディアの使用をアンケート調査している。この原稿を執筆している2021年1月時点では、2020年に収集されたデータが最新のものとなる（総務省情報通信政策研究所2020）。この統計を見ると、まずテレビ視聴時間（リアルタイムの視聴）とネット使用時間が、世代間で明確に違っていることがわかる。30代以上では、テレビ視聴の割合が高いが、10代、

20代では逆にネットの平均使用時間のほうが長い。10代に限ってみると、平日におけるネット使用率は92・6％、リアルタイムのテレビ視聴率は61・6％、新聞はわずか2・1％、ラジオは1・8％である。ただ、テレビを見ながらネットを使用するマルチタスク型も少なくない。10代ではテレビを見る際に、ネットも同時に使用している割合が、平日の19時から23時（ゴールデンタイム）では34・8％となっている。マルチタスク状態は、彼らにとって日常のようだ。

インターネット上での行為の内訳（平日の平均時間）は、10代では「ソーシャル・メディア（著者注：つまりSNS）を見る・書く」が64・1分、「動画投稿・共有サービスを見る」が74・2分、「オンラインゲーム、ソーシャルゲームをする」が33・8分である。休日だとソーシャル・メディアに費やす時間は83・4分、動画には114・8分、ゲームには58・1分と、さらに多くなる。一方、「メールを読む・書く」は平日の平均では16・0分、「ブログやウェブサイトを見る・書く」は14・2分と短く、休日も短いままだ。この傾向には世代差が顕著で、30代以上だと主たる行為は「メールを読む・書く」、「ブログやウェブサイトを見る・書く」と、順位が逆転する。ここでもデジタル世代のネットの使用行動が、他の世代とは違うことが読み取れる。

10代ではここ数年、パソコンの使用時間は減っており、ネットへのアクセスは圧倒的に

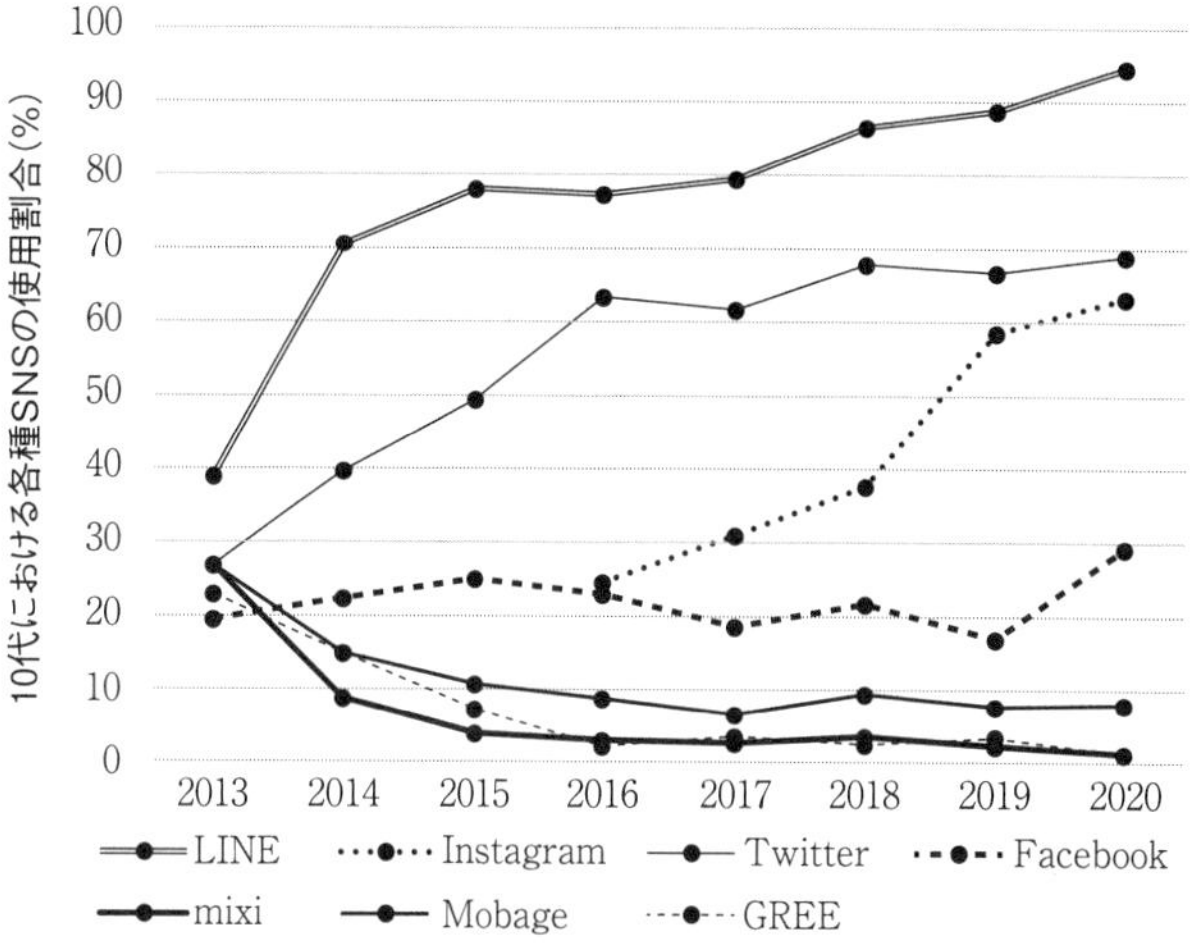

図1－4　日本の10代のSNS使用の変遷　出典：総務省情報通信政策研究所（2020）の統計をもとに著者作成

スマートフォンから行われている。10代のスマートフォンの所持率は２０１９年の時点で、90・８％、タブレットは38・３％となっている。10代の３人に一人はお風呂にまでスマートフォンを持ち込んでいる（博報堂メディア環境研究所２０１９）。

日本の10代の間で、どのＳＮＳが使われてきたかの変遷を示したのが図１‐４である。先に示したアメリカの状況を表した図１‐３と、縦軸の内容が違うので、少し注意が必要だが（アメリカの状況を表した図１‐３では、縦軸でＳＮＳ使用全体に占める各種ＳＮＳの割合を示しており、図１‐４では、10代の間でそれぞれのＳＮＳを使っている人の割合を示している）、図1－4からアメリカと同様、写真や動画を共有するアプリであるInstagramの伸びが著しいことがわかる。日本の場合、ＬＩＮＥが圧倒的な人気だが、Twitterも依然、勢いが衰えていないようだ。ＮＨＫが２０１８年に行った調査によると、TwitterとFacebookの「いいね」「リツイート」は、日本の10代の８割が日常的に行っており、他の世代を大きく引き離している（渡辺２０１９）。もちろん、複数のＳＮＳを併用しているユーザーも少なくない。

同じＮＨＫの調査では、10代がＳＮＳを使用する主な理由としては、「個人的に知りたい情報が得られるから」「暇つぶしになるから」が一番多く、「利用しているだけで楽しいから」「周りが使っているから」が続く。実際、ソーシャル・メディアは、10代にとって自分に必要な情報を得る主な媒体であり、一般のニュースもソーシャル・メディアを通して入手するのが主流である。

一方、ソーシャル・メディアを含め、紙の新聞媒体、ポータルサイト、キュレーション・サービス（ウェブ上の情報を特定のテーマに基づいてまとめたサイト）等、いずれの方法でもニュースを読んでいない10代の割合は、２０１９年の調査では25％を超えた。10代では、そもそも新聞を読んでいる割合が20％程度にとどまっており、大多数の若者は、報道テクストや時事関連の意見文（新聞の社説など）を読んでいない。すべての世代を対象にした調査では、オンライン上のニュースの信憑性《しんぴょうせい》に対し、慎重な態度をとる人が増えてきているといわれているが、10代では、ニュースはたまたま気づいたものを入手したりなど、あまり積極的に求めず、配信元などの確認をしっかり行わないとする割合が、他の世代に比べて高いようだ（渡辺2019）。メディア・リテラシー（メディア情報の信憑性を見極め、内容を理解する能力）が十分に備わっていないことのあらわれであろう。

乳幼児を持つ母親を対象にした調査では、ベネッセ教育総合研究所が行っている「乳幼児の親子のメディア活用調査」があり、これまでに2013年、2017年の2回ほど行われている。2017年の調査では、6か月から6歳までの乳幼児を持つ3400人の母親が対象となった。この調査からは、アメリカと非常によく似た状況が見て取れる。

日本の赤ちゃんも、0歳児の時点で7割が「ほぼ毎日」テレビを見ており、録画を含まないリアルタイムのテレビ視聴だけで、6か月児で1日平均100分、1歳児で119分である（この時期のメディアへの接触が本当に「視聴」なのかどうかは、次章で詳しく述べる）。また、2013年と比べるとスマートフォンによるアクセスが大きく伸びている。特にスマートフォンによるスクリーン・メディアへの接触は、0歳から2歳までの間で13・9%から44・0%と、伸びが著しい（ベネッセ教育総合研究所2018）。

ここまでの統計データから見えてきたことをまとめよう。日本もアメリカも、デジタル世代では、非常に幼い時期からテレビ、動画、アプリ等を視聴し、10代では、SNSを中心としたデジタル・テクノロジーは彼らの生活の一部になっている。高校生までの間にほぼ100%近くがスマートフォンを所有し、平均値を見る限り、一日の多くの時間を、ソーシャル・ネットワーク・サービス、動画の投稿・視聴、ゲームに費やしている。SNSの中では、Instagramなど、文字への依存度の少ない写真・動画共有アプリの伸びが顕著である。

3　デジタル・コミュニケーション行動の特徴

†デジタル・テクノロジーを介したコミュニケーション

では、デジタル・テクノロジーを介したコミュニケーションのありかたは、従来のアナログ的なコミュニケーションの仕方とどのように違うのだろう。アナログ的なコミュニケーションの代表格としては、居酒屋での会話、対面型の授業や会議など、人と人が直接顔を突き合わせてコミュニケーションする方法がある。手紙や電話、紙媒体の書籍や新聞もアナログによるコミュニケーションの代表格だ。さらにリアルタイムで聞いたり見たりするラジオ、テレビなどのアナログ・メディアを媒介にしたコミュニケーションも、アナログ的なコミュニケーションに含められるだろう。

デジタル・テクノロジーを介したコミュニケーションの特徴の一つとして、しばしば指摘されるのは、多数対多数の双方向のコミュニケーションを可能にするという点である。アナログ型の新聞、ラジオ、テレビなどは、発信者と受信者の立場が明快であり、発信者が多数の受信者に一方的に情報を送るスタイルであった。デジタル世代が好んで使うSNS、動画共有サイトなどでは、受信者が「いいね」「リツイート」やコメントを送ることで、双方向のコミュニケーションが可能になる。ネット動画を見ながら、自分のコメントを送るだけでなく、他の視聴者のコメントも同時に見るなど、多数の人の意見・反応を知ることもできる。アナログ型の会話などと違い、空間的な制約を受ける必要もない。参加者は同じ場所にいる必要がないのである。

さらに、デジタル・テクノロジーによるコミュニケーションは、時間的な制約に関しても柔軟に対応できる。電話などは、同じ時間を共有する必然があるし、逆に、郵便による情報は受け取りに時間的な遅れが生じる。情報の伝播は、インターネットの出現で、アナログ的なコミュニケーションとは比較にならないほど、スピーディーかつ広範囲になったのだ。

†情報共有の特徴

デジタル・テクノロジーでは、情報を保存し共有することも非常に簡単になった。手書きで本などのテクストを写していた時代から、コピー機や録音テープの出現で、文字情報や音声情報を保存することが楽になったが、空間的な制約からは解放されていなかった。録音したテープが手元にないと、聞くことができなかったのである。しかし、デジタル・テクノロジーはコピーや保存だけでなく、それをいろいろな場所にいる他人と共有することも容易にした。

ただ、ネット上では、同じような興味・関心・嗜好性《しこうせい》をもとに、ネットワークが形成される傾向がある。こうして形成されたネットワークの中では、そのネットワーク内で特有に使われる語彙《ごい》や言い回しができたり、違う意見を持つ人間は排除されたりということも起こりうる。自分が聞きたい、知りたい情報だけを得たり、異なる嗜好の情報は、互いに交わらないまま併存する「サイバー・バルカン化」という現象も起きやすい（木村2018）。

さらに、オンライン上では、複数のアカウントを持ったり、実名、仮名、匿名などを使い分けることにより、複数のペルソナを持ち、使い分けることが可能になる。その結果、オンライン上では、オフライン上とは異なった思考を持ったり、行動をとったりすることができる。社会的立場や現実の人間関係とは別のコミュニティー空間で発言・コミュニケーションができることから、社会的弱者や発言権の弱い立場に置かれた人たちが、発言する場を持てるといったプラスの面も指摘されてきた。外国語や第二言語学習の場では、学習者がオンライン上で違うペルソナを得ることで、より積極的に発言ができるようになったとする研究結果もある。イケメンのアバターを得ると人は積極的になる。外見が変わることで、人間の行動が変わることを、ギリシャ神話で外見を自在に変えたプロテウスになぞらえて、心理学ではプロテウス効果という（Yee & Bailenson, 2007）。バーチャルな世界では、よくある現象だ。

その反面、オンラインでは、過激な発言が暴走したり、炎上が起こるなど、抑制のきかないコミュニケーションが起こりやすいといったマイナスな面もある。10代の間では、世間向けのアカウント「本アカ」とは別に「裏アカ」を持つことは珍しくなく、違うペルソナを使い分ける（ちなみに10代の間では、2020年時点では、アカはSNS上では「垢」と漢字で書くことが普通。詳しくは第4章を参照）。

「裏アカ」では、表向きとは違った自分を表出することができる。Twitterでは、2019年の調査で、日本の10代の7割近くが複数のアカウントを持っていたという。6つ以上のアカウントを持っていると回答した人がいたのは、10代、20代のみで、中には15のアカウントを持つ強者もいたという（『MarkeZine』編集部２０１９）。これは、Twitterだけの話なので、他のＳＮＳを組み合わせると、かなりの数のアカウントを使い分けている若者もいると想像できる。

†デジタル・テクノロジーに欠落しているもの

従来の対面型のコミュニケーション研究では、表情、身振り手振り、あいづち、視線の動きなど、非言語行動の占める役割が非常に重要であることが指摘されてきた。非言語的要素が人間のコミュニケーションのどのくらいの割合を占めるのかに関しては、研究者の間でも見解がわかれるものの、非言語的要素が重要な役割を果たしていることはまぎれもない事実だ。人間は非言語行動が言語行動と一致しないと、不信感や誤解を引き起こすといわれている。

実際、筆者の勤務するアメリカの大学でも、新型コロナ感染対策の一環で、２０２０年3月に、通常の対面型授業がオンライン授業に切り替わった時、オンライン授業でのコミュニケーションにあまり慣れていない学生の中から、疲れると訴える者が少なからずでてきた。そこで大学側からは、インストラクターに、通常の2時間授業を短縮する、途中で休憩をとるなどの措置を講じてほしいとの通達がきた。

ある学生はディスカッションや口頭発表の際に、相づちなどのバック・チャネル行動（後で説明する）がないこと、コンピューターのスクリーン上では、表情が読み取りにくいこと、そのため、ディスカッション中の沈黙や「間」の解釈に困ることなどを、問題点として自身のブログに書いていた。一定規模の授業になると、ひとりひとりのスクリーンが小さくなるし、自分が発言しない時は、音声はミュートにすることが多いため、一方的に話をしているような気分に陥りやすくなる。不安を感じる学生がでてきてもおかしくない。

バック・チャネル行動とは、「はあ、はあ」「うん、うん」などの相づちや、うなずきなどのジェスチャーを指す。こうしたバック・チャネル行動は、会話を進めていく上で非常に大切な役割を果たしている。会話のどのタイミングでバック・チャネル行動を行うか（どの言語要素の切れ目にいれるかなど）、どのような頻度で行うかには、言語または文化による差もあるといわれている。

日本語においては、バック・チャネル行動は、英語よりも頻度が高く、またその意味するところも英語とは必ずしも同じではないという（Maynard, 1986）。日本語では「あなたの言っていることに、今私は注意をむけていますよ」といったシグナルとして、コミュニケーションを円滑に進める役割を果たしていると考えられている（ちなみに、日本語でのコミュニケーションの場合、学生がうなずいているからといって、必ずしもわかっているわけではないことに注意。アメリカの教授陣の間では、対面型の授業の際、留学生のうなずき行動をどのようにとらえたらいいのかよくわからないといったことが、時々話題になる。英語では「あなたの言っていることを理解・共感していますよ」というメッセージとして解釈されることが多いようだ)。授業のサイズや形態(講義型なのか、ゼミ形式なのか)などにもよるが、オンライン上のコミュニケーションでは、一般にバック・チャネル行動などの非言語的な助けが少なくなる傾向があるようだ。

電子メールや「Twitter などテクスト中心型のSNSでも、こうした非言語要素に頼れない、または不十分な環境でのコミュニケーションを迫られる。そのため、感情や意図の伝達に不具合が生じないように、絵文字や顔文字を使ったり、あえて丁寧な表現を使うことが求められたりという現象が観察されている。ただし、ここでも、文化差やSNSの種類による違いがあるようだ。Emoji はもはや国際共通語彙になったが、感情を載せた顔文字の種類は、他国に比べると日本は圧倒的に多い。顔文字をつけないと不安な人も少なくないに違いない。電子メールの場合は、ある程度の言語的配慮が求められることが多いのに比べ、LINEなどのSNSではくだけた表現・短縮表現や、絵文字・顔文字の多用、言語メッセージの短さなども特徴的である。

こうした中で、アメリカでも日本でも、Instagramなどの写真・動画共有アプリの人気が10代の間でうなぎ上りなのも興味深い。「ハッシュタグ」等の機能で、情報収集に適しているといったこともメリットであるが、なんといっても言語的負荷が少なく、言語の違いを超えて世界の人と情報を共有しやすいという点が重要だろう。写真や動画では、言語的要素より、むしろ非言語的要素が情報伝達内容の主流を占めることになる。

4 デジタル世代の嗜好と考え方

†デジタル世代のテクノロジーへの態度

ここまではデジタル世代のコミュニケーション行動とその特徴を見てきたが、次に彼らが、こうしたデジタル・テクノロジーを使った自らの行動をどのように考えているかを見てみよう。

アメリカでは、10代のSNSの功罪に関する意見は、分かれている。10代の約半数は、生活に及ぼす影響は「良くも悪くもない」と考えている。3割弱は、メリットがあるとし、特に友達や家族とのつながりや、ニュースへのアクセスの利便性などを挙げている。一方、

2割強はマイナス面があるとし、いじめの問題や、人間関係への悪影響・希薄さなどを懸念しているという（Anderson & Jiang, 2018）。

日本の大学生720名を対象に2018年に行なわれたある調査では、SNSの利用頻度が高く、SNSが生活において重要だと考えている学生ほど、スマートフォンへの依存度が高く、さらに認証欲求（自分の存在を認めてもらいたい、アピールしたい、注目されたいなどの欲求）も高いことが示された（都築他2019）。

特に重要なポイントとしては、SNSの使用頻度の高い学生は、批判的思考態度が弱く、一方、SNSの使用頻度の低い学生には逆の傾向が見られた点である。この研究では、批判的思考態度を「（複雑な事項を順序だてて思考するなど）思考への自覚」「（さまざまなことを生涯かけて学び続けたいなどの）探求心」「（偏見を持たずに物事を判断するなどの）客観性」「（証拠に基づいて結論を導き出すなどの）証拠の重視」などの観点から測っていた。この研究結果は、先に紹介した、SNSの使用時間の多い10代は、ニュースの発信元などにあまり注意を払っていないという報告とも一致する。

一方、世界に目を向けると、大学生の間では、デジタル・テクノロジーを学習のツールとして使用することに積極的であるという調査報告がいくつもあがっている。どのような形で、どの程度デジタル・テクノロジーを実際に学習に使っているかは、国や地域によって違いがある。第7章で詳しく見るが、残念ながら日本は、新型コロナウイルスの感染拡大以後、多少変化が見られてきているものの、全体的には、初等中等教育だけでなく、大学でも、デジタル・テクノロジーの学習場面での使用があまり進んでいない。しかし、日本の学生も含め、すでに学習場面でデジタル・テクノロジーを使っている学生の間では、その学習ツールとしての使用について、おしなべて好評である。

†日本の大学生の実態調査

筆者は2020年（新型コロナウイルス感染拡大防止のために大学の授業がオンライン化される直前）に、日本の首都圏の大学生を対象に、彼らの学習におけるデジタル・テクノロジーの使用と、それに対する考えを調査してみた。その結果、大学の学習ツールとしては、スマートフォンではなく、パソコンが中心として使われており、ウェブ情報を見たり、動画を活用したりすることが多かった。たとえば、外国語の勉強に動画を役立てるなどである。学生たちによれば、デジタル・テクノロジーは、専門科目の内容をより深く理解し、今まで知らなかったトピックについて知識を広げたいとする動機を高めるのにも役立つという。さらに、他の学生との共同作業を促進し、課題を効率的にこなすことにも役立つと考えていた。

大学生以外の若者のパソコンの使用状況を調べたデータがないので、あくまでも推測の域をでないが、社会経済的地位の違いにより、パソコン使用に差があるというアメリカのデータなどから考えると、ある程度高い社会経済的地位を持ち、パソコンを学習に使いこなせる子どもたちが、大学教育への切符を手にしやすくなっているという可能性もあるかもしれない。

SNSや、さまざまなアプリを使いながら、プレゼンテーションの用意を行ったりする能力に対しては、ある程度自信があるとする学生が多い一方で、少なくとも2020年時点でこの調査に参加した大学生の間では（情報科学を専門とする学生を除けば）プログラミング言語の知識がないとするものが大多数であった。学習を行う際に、マルチタスクを行うこと（レポートを書く際に、音楽を聴きつつ、さらに同時に友だちとチャットもするなど）は多くの学生が日常的に行っていたが、学習の重要度によって使い分けている人が多かった。重要な課題をこなす時にはマルチタスクを行わないが、あまり重要でない課題をこなす時には、マルチタスクを行うなどというようにだ。

学習以外のことで、SNSやゲームに費やしている時間が長すぎると感じている学生が大多数を占めることは留意すべきだろう。ただ、すでに言及したアメリカの若者たちのデータと同様、SNSの使用時間が多い学生が、必ずしも他人と電話での直接対話を避けているわけではない。その一方で、電子メールを書く際には、相手に（特に親しい友人以外の相手の場合に）誤解を受けないよう、表現や打ち間違いには十分な注意をすると答えた者が大多数であった。もし選択できるなら、やはり機械（AI）より人間と話すほうを好むと回答する学生が多数を占めた一方で、機械（AI）とコミュニケーションするほうがいいと思う学生も2割程度存在していた。

大学の課題として読まされるテクストに関しては、デジタル画面で読むことを好む学生と、紙媒体で読むことを好む学生とが分かれており、学部生では前者が、大学院生では後者が多い傾向があることから、2020年時点の大学生が過渡期になっている可能性がある。ただ、教科書等は電子書籍ではなく、紙媒体で読みたいとする学生が（学部生・大学院生を問わず）多かった。

デジタル画面であろうと紙面のものであろうと、1冊の本を読むのが苦痛かどうかに関しても、反応が二つに分かれた。また、電子テクストを読む時に、重要なところにアンダーラインを引いたり、メモを取ったりするかといった読みのストラテジーに関する質問においても、回答がばらついた。テクノロジーをどのように学習に使っているかは、どうやら個人差が大きいようだ。

5　デジタル世代に必要とされる能力

†21世紀型スキル

ここまで、デジタル世代のデジタル・テクノロジーの使用実態とそれに対する彼らの考えを概観してきたが、デジタル・テクノロジーの進歩が加速化する中で、国際的には、この世代に、どのような能力の習得が必要だと考えられているのだろうか。

日本を含め、各国の教育に大きな影響を及ぼした新しい能力の枠組みの一つに、OECDが打ち出したキー・コンピテンシー（key competencies）がある。ここでは、3つの柱となる能力が定義された。相互作用的に言語や知識といった社会文化的な道具を使う能力、さまざまな背景・意見を持った異質の集団と交流できる能力、そして、自律的に行動する能力の3つである。そしてその根底にある能力として、自らの考えや行動を振り返る力が挙げられている。

その中でも最初の相互作用的に言語や知識などを使う力は、「読解リテラシー」「数学的リテラシー」「科学的リテラシー」と測定が可能な形に具体化された。これがPISA型リテラシーといわれるものだ。ＰＩＳＡ（Programme for International Student Assessment）は国際学習到達度テストのことで、２０００年以降、３年ごとに15歳を対象に国際調査が行われている。ＰＩＳＡの結果がでるたびに、ニュースで大きく取り上げられることが多いので、お馴染みの読者も少なくないだろう。ここで重要なのは、リテラシーという概念が、単なる読み書き能力にとどまらず、非常に広範に定義されている点である。

読解リテラシーは、書かれたテクストの中から必要な情報を見つけ出し、その情報を理解したり、使用したりするだけでなく、こうした言語認知プロセスを振り返り、自ら制御できる力をいう。数学的リテラシーとは、さまざまな場面で、数学的思考を用いて、世界で起こっている現象を記述、説明し、データに基づいて予測を行うことのできる能力である。生活の中で、数学的思考の果たす役割を認識し、応用することができるという点が重要だ。さらに科学リテラシーとは、現代における科学の大切さを理解し、科学的知識を応用し、解決すべき問題を見出し、科学的根拠に基づいて結論を導き出すことのできる能力を意味する。たとえば、新型コロナウイルスの感染の仕組みを理解し、科学的根拠に基づいて、感染を防ぐ判断を行うことができるなどの力である。いずれのリテラシーにおいても、単なる知識の習得ではなく、必要な情報を選択・処理し、それを実生活の中で意味のある形に再構築し、その過程を振り返ることのできる能力が重視されている。

†日本のICT教育の遅れ

最近の2018年の調査では、特に読解リテラシーに重点が置かれていたが、その読解リテラシーで日本のランクが下がったことが話題になった。ここ数回の結果では、2012年には4位（65国・地域中）だったものが、2015年には8位（72国・地域中）、そして2018年には15位（79国・地域中）となった。ここで順位に一喜一憂するのもいいが、PISAには調査手続き上・統計処理上の問題がないわけではなく（たとえば、参加国・地域の参加者数のばらつきや参加者の選択基準が不明確など）、順位の上下はそれほど大騒ぎするようなことではない。それより、どのような問題が出題され、それらが何を測ろうとしており、もしできなかったなら、なぜできていなかったのかをきちんと分析するほうが建設的だ。PISAに関しては膨大な研究が行われているので、本書では詳細な結果分析には踏み込まないが、本書のテーマと関連して、重要な課題点を2つ指摘したいと思う。

一つは、日本の教育のデジタル社会への対応の遅れだ。2015年からPISAテストは、コンピューター上で行う方式に変わった。文部科学省は、コンピューターを使ってテストを受けることに、日本の生徒が慣れていなかったことを問題点として挙げている（文部科学省2019a）。残念ながら3年後の2018年でも、他の先進諸国に比べ、デジタル機器の学校教育への導入は進んでいるとはいえない。図1-5は、2018年の調査(一部)に基づいて、ICTの学習における使用状況を示したものだ。

図1-5中、(1)から(3)までの項目は、学校がいかに積極的に学習でICTを導入しているかに関わる項目で、(4)から(6)は、生徒がいかに自主的にICTを活用しているかを示している。OECD平均に比べると、日本では、ICTを学習の場面であまり活用していない実態が鮮明になっている。唯一、(6)の「学校の課題について他の生徒と連絡をとるために、SNSを利用する」に対する反応だけが、OECD平均にやや近い。こうした、ICTの学習への活用の遅れは、2020年春、新型コロナウイルス感染拡大による緊急事態宣言下で、通常授業からオンライン授業にすっと切り替えができずに、多くの学校で(特に公立学校で)学校教育が停滞してしまったという実態からも顕著である。

もちろん、無条件にICTを使った教育がアナログよりいいとは言いきれない。しかし、デジタル・テクノロジーが生活に浸透していく中、これを無視した教育も現実的ではない。そもそも、ポスト・コロナの時代においては、ICTを使わないという選択肢はもうないだろう。PISAの中で、科目別にICTの学校教育における利用状況を訊いた項目に関しても、日本の順位は先進国の中で、どの科目でもほとんど最低だった(国立教育政策研究

(4) 学校の勉強のために、インターネット上のサイトを見る

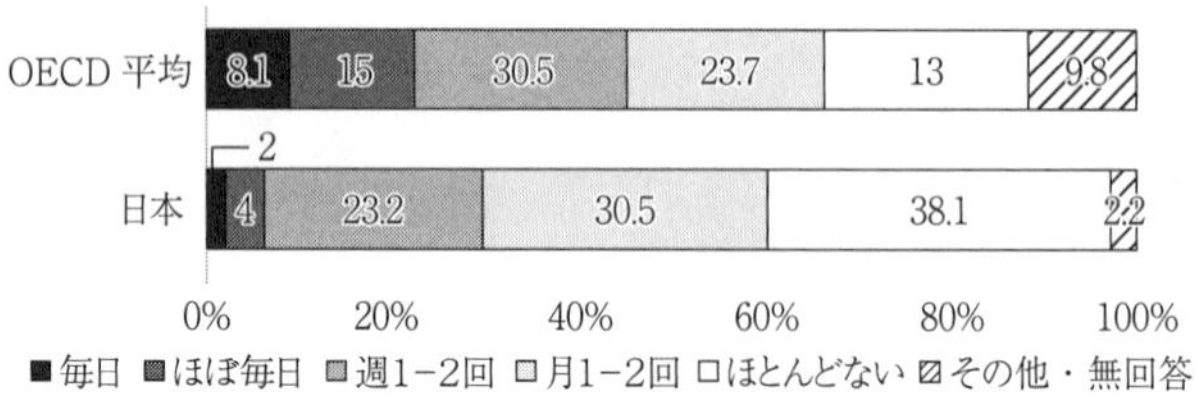

(5) 関連資料を見つけるために、授業の後にインターネットを閲覧する

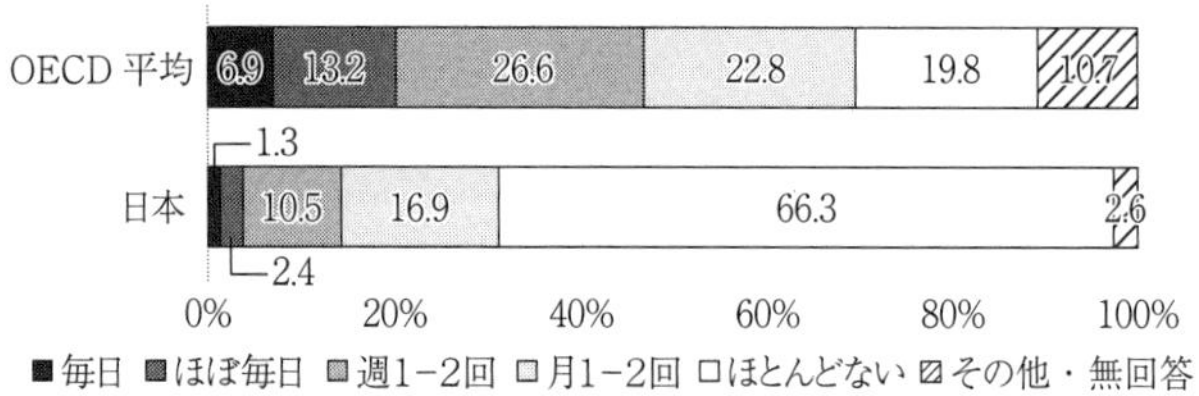

(6) 学校の課題について他の生徒と連絡をとるために、SNS を利用する

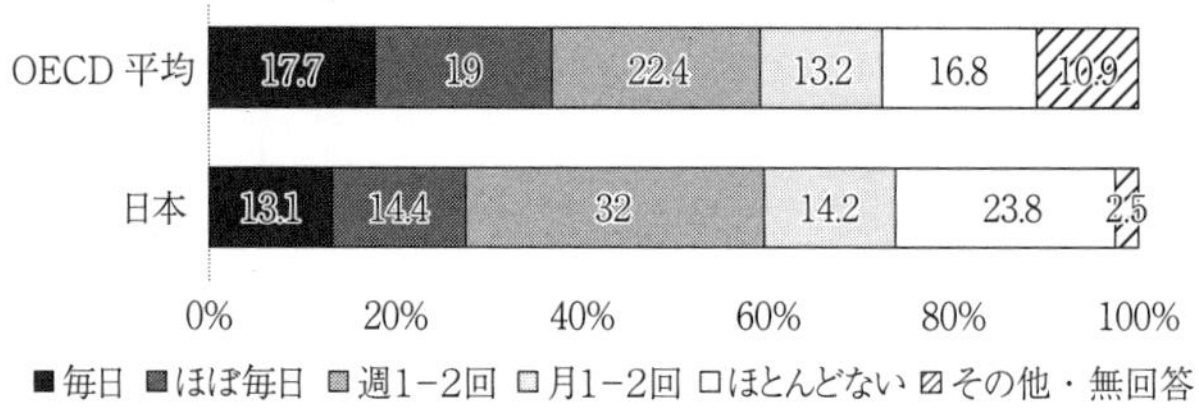

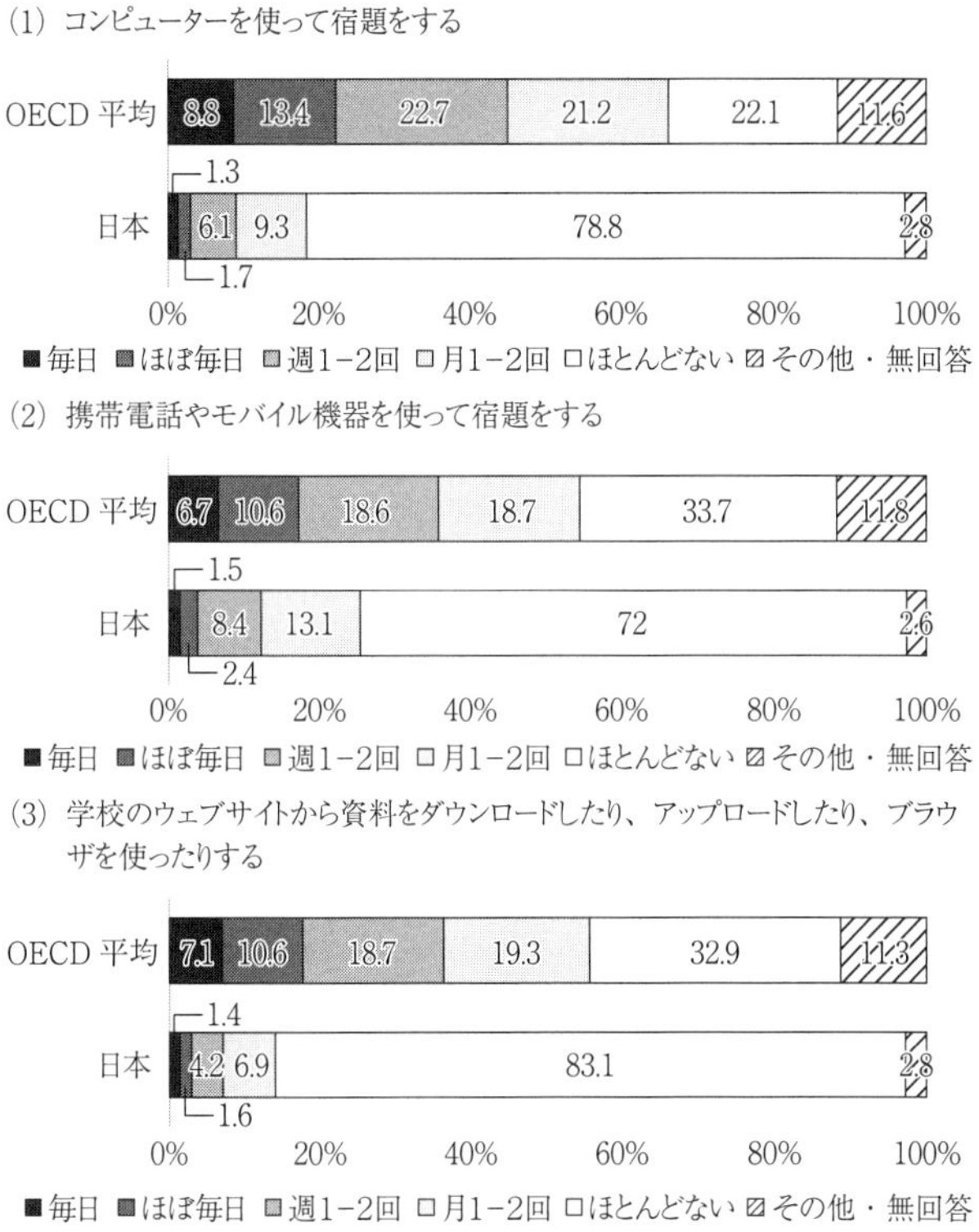

図1−5　15歳のデジタル・テクノロジーの学習への利用（日本とOECD参加国平均の比較）　出典：文部科学省国立教育政策研究所「OECD生徒の学習到達度調査　2018年調査補足資料」（2019a）をもとに著者作成

所2019a）。学習到達度のランキングより、むしろこちらの順位のほうを憂慮すべきであろう。文部科学省もGIGA（Global and Innovation Gateway for All）構想を打ち立て、児童・生徒1人に1台端末を与え、高速ネットワーク環境を整えることを目指すとの宣言を、2019年末にやっと行ったばかりだ（文部科学省2019b）。新型コロナウイルス感染症は、多くの先進国で学校教育でのICT化を加速する起爆剤になったが、日本の公立の小中学校では、今のところ、このチャンスを十分に生かせているとはいえない。

ICTの活用の遅れに加えて見逃せないのが、日本の生徒たちが苦手としていた問題が、今後デジタル時代にますます重要だと予測されている能力を測るものであった点である。公表されている2018年のPISAのサンプル問題には、太平洋に浮かぶラパヌイ島（イースター島）でフィールドワークを行っている教授のブログから、必要な情報を見つけ出し、自分の理解したことを記述したり、またはある学術書に関する書評を読んで、意見と事実に関する記述を判別したり、さらに科学レポーターの記事を読んで、学術書を書いた研究者とレポーターが見解を同じくする点を導き出すなどの問題が並んでいる（図1−6の問題例参照）（国立教育政策研究所2019b）。

OECDの報告書では、デジタル・テクノロジーが子どもたちの間に深く浸透した今、「優れた読解力」ということの意味を考え直す必要があるといっている。そして「すばら

図1-6　PISAの問題例　出典：文部科学省国立教育政策研究所「OECD生徒の学力到達度調査（PISA）2018年調査問題例」（2019b）

しいスマートフォンを持ちながら、貧しい教育を受けている子どもは、深刻な危機に陥る」と警告している（OECD, 2019）。子どもたちは、今や膨大な情報に取り囲まれている。自分と意見や嗜好を同じくする情報だけを入手しがちになってしまうネット・コミュニケーション構造の中で、グローバル化により、実世界ではさまざまな意見や嗜好を持つ人たちとの共生が重要になっている。そうした中で、異なる立場にいる人たちの見解を正確に理解し、意見と事実を判別し、情報の信憑性を判断し、信憑性のある情報に基づいて、論理的に判断を行い、その結果を言語化して、他人にも伝えるような能力をPISAでは求めているのだ。このような能力は、ただスマートフォンを与えただけでは、自然に身につくものではなく、そこに計画性を持った教育の役割が必要だと考えられている。

†コンピテンシーの習得度格差

PISAの結果から読み取れる二つ目の課題は、コンピテンシーの習得度における格差の問題である。PISAでは到達度をレベル1から6までの6つのレベルに分けている。そして、それぞれのレベルで、だいたいどのようなことができるのかを示している。ここで懸念されるのは、日本だけでなく、国際的な傾向として、デジタル時代に十分対応するのが難しいと予想されるレベル1やレベル2にあたる生徒層が、増加傾向にあるということである。もちろん、このPISAで示されたレベルの妥当性はきちんと検証される必要がある。特にレベル1に関しては、どのようなことができるレベルなのかが明確にされていないという問題点もある。しかしPISAの結果が、ある程度現実のニーズに見合わない子どもたちの増加を反映しているとすると、これは憂慮すべき問題であろう。

テクノロジーの進化に伴い、それを主体的・効率的に有効利用していくグループと、受動的にテクノロジーに振り回される、または取り残されていくグループとの間の格差が拡大化、加速化していくことが懸念される。今のうちに、しっかりとデジタル教育格差拡大のからくりを理解し、手を打っておかないと、大変なことになりそうだ。

†本書でこれから見ていくこと

この章では、デジタル世代をめぐるテクノロジー環境がどのように急速に変化してきたのか、彼らのデジタル・テクノロジーの使用実態とそれについての考えを紹介した。さらに、PISA調査を例にとりながら、デジタル・テクノロジーにより、リテラシーの概念や必要とされるリテラシーが変わりつつあることを見てきた。また日本の子どもたちは、今までデジタル機器をあまり学習には利用してこなかったことも確認した。しかし、時代は大きなうねりを持って変化している。デジタル・テクノロジーとの共存は不可欠だ。

子どもたちはデジタル環境の中で生き、乳幼児のころからさまざまなデジタル機器に囲まれている。こうした生活・学習環境は、子どもの言語発達や、言語行動、言語能力にさまざまな影響を与えていると考えられる。デジタル・テクノロジーは子どもたちの可能性を大きく広げるだろう。

しかし、デジタル・テクノロジーは諸刃の剣でもある。活かすかどうかは、私たちの使い方次第なのだ。ネット上では、さまざまな情報が拡散しており、必ずしも科学的な根拠に基づいたものばかりではないのである。

科学的根拠に基づいた教育的判断を今後進めていくために、今わかっていることを整理してみることを次章から行っていきたいと思う。まずは乳幼児のテレビ・動画などのマルチメディアの視聴と言語習得との関係から始めることにする。本章でも見てきたように、デジタル世代は、非常に早期の段階から、さまざまなメディアに触れている。多種多用な教育アプリやプログラムもあふれており、保護者や教育関係者にとっても、何を選択し、どのように活用したらよいのかの判断がますます難しくなってきている。やはり、マルチメディアには、できるだけ早期から触れているほうがよいのだろうか。

第2章

動画・テレビは乳幼児にどう影響するのか?

——マルチメディアと言語習得

1　乳幼児はテレビ・動画視聴を避けたほうがいい？

†マルチメディアと言語発達

　デジタル世代の子どもたちの多くは、生まれた直後から、さまざまなマルチメディアに触れている。マルチメディアとは、文字、音声、写真、映像など複数の媒体が一体化したものだ。確かに子どもにとっては、マルチメディアは魅力的なおもちゃかもしれない。でも、乳幼児の段階から動画やテレビを見させていいのだろうか。認知的に何か問題はないのだろうか。

　それとも、逆に、このデジタル時代を生き抜くためには、マルチメディアにはできるだけ早いうちから触れておいたほうがいいのだろうか。「ベビー・アインシュタイン」などといった有名な乳幼児用のシリーズをはじめ、まだ最初の言葉を発する前の乳児を対象としたマルチメディアのプログラムも多種でており、選択するのも大変だ。最近では、日本語だけでなく、英語学習用のアプリなどもたくさん見かける。そうしたアプリを使って、少しでも言語学習を早くから開始させたほうがよいのだろうか。

この章では、就学以前の子どもたち（国によって異なるがだいたい5歳前後までをさす）における、こうしたマルチメディアと言語発達（特に語彙習得と内容理解）との関係を見ていくことにする。マルチメディアの中でも、就学前の子どもたちが接する機会の多い、テレビ、動画、アプリを主な対象にする。まず、日本における乳幼児のマルチメディアの使用状況を、改めて確認することから始めよう。

†乳幼児のテレビ、動画、アプリ使用

テレビは、通常、伝統的メディアに分類されるものであるが、最近では、デジタル化され、インターネットを通じて見る人も多い。前章で見たように、実際、スマートフォンやタブレットを通じて、子どもたちにテレビを視聴させている保護者が多いこともわかっている。そのため、ここではテレビを含めたマルチメディアを考えていく。

日本における乳幼児のテレビ、動画、その他のアプリの使用状況に関しては、前章で紹介したベネッセ教育総合研究所による「乳幼児の親子のメディア活用調査」（２０１８）をはじめ、ＮＨＫが２０１９年に2歳から6歳までの幼児を持つ１０００人の保護者を対象とした調査（山本２０１９）など、複数の報告がある。多少の数字のずれはあるものの、こうしたアンケート調査から、重要なトレンドが浮かびあがってくる。

まず、前章でも触れたが、赤ちゃんのメディアへの接触は、早期化する傾向があり、0歳児のメディアへの接触が増えている。1日の平均メディア接触時間数は、0歳から6歳まであまり大きな変化はない。0歳児も6歳児も、平均すると同じ時間メディアに接触しているというのは驚きでもある。図2－1はベネッセの調査の一項目の結果を示したものだが、ここからもわかるように、2017年の時点ではテレビの視聴が中心である。特に、家事などで手が離せない時と食事中にテレビを視聴させることが多いと保護者は答えている。

一方で、スマートフォンを介した動画、アプリの視聴時間も数年前に比べると長くなってきており、3、4歳ごろから視聴時間の長い子どもの割合が高くなる。テレビ、動画ではアニメ視聴が主流である。2歳ごろには、アニメ番組の嗜好が固まりだし、3〜5歳ごろから自分で好きなものを見始めるという先行研究の結果を踏まえ、2018年の報告書では、おそらく2歳を過ぎるあたりから、動画を多く視聴する子どもとそうでない子が分かれてくるのではないかと推測している。

同様に、パソコンの使用量はそれほど多くないものの、ほとんど毎日触れているという乳幼児は増えており、パソコン使用も乳幼児の段階で二極化が始まっている可能性があるようだ。

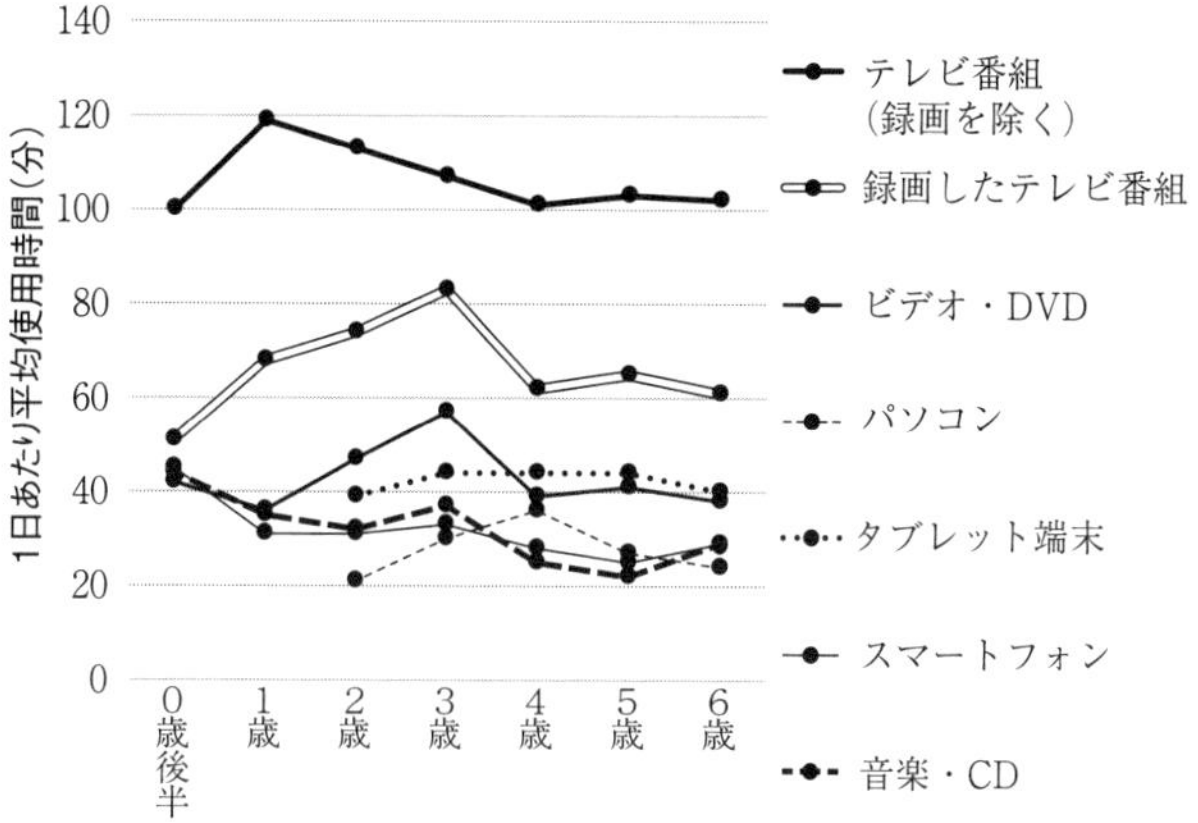

図2-1　平日の年齢別メディア使用時間　平均（保護者アンケートによる）　出典：ベネッセ教育総合研究所（2018）p.27の資料をもとに著者作成

テレビとスマートフォンで見る動画やアプリとの間には、重要な違いもある。その違いとは、内容についてかわす親子の会話である。ベネッセ教育総合研究所の調査（2018）では、視聴したテレビおよびビデオ・DVDの内容について話し合うかという設問に対し、7割程度が「あてはまる」または「やや、あてはまる」と答えていた。一方、スマートフォンやタブレットでの動画視聴では、それが4割程度にまで下がる。外出した時になど、車の中で子どもにとりあえず、スマートフォンやタブレットで動画を見させておいて、その間に買い物などを済ませるといった保護者も少なくないのだろう。

いずれにせよ、テレビ・動画を子どもに見せる時は、家事などで手が離せない時が多いことを考えると、子どもと話し合うと答えているケースでも、視聴中だけでなく、その前後に話し合う場合も含まれているのではないかと報告書は推測している。ただ、後で詳しく述べるが、視聴前または視聴後の会話ではあまり意味がない。一緒に見ながら、内容についてどのように子どもと話すかが、言語習得の非常に重要な鍵だからである。

さらに、スマートフォン上の動画アプリに関しては、保護者が自分向けのアプリを見る際に、それを子どもが一緒に見ていることも多い。つまり、あくまでも自分が見ることが中心で、それをたまたま子どもが見ているという形だ。これにも実は問題がある。さらに、子どもをどのように遊ばせたらよいのかよくわからないと感じている保護者の子どもは、動画アプリの視聴時間が長くなる傾向があることも報告されている。子どもが興味を持っているようだから、とりあえず見せておいていいのではないかと思う保護者もいるのだろう。

†テレビ・動画視聴時間の影響

乳幼児のテレビ・ビデオ視聴の早期化の背景には、保護者の期待感が関係していると考えられる。保護者へのインタビューまたはアンケート調査の結果によると、国・地域によらず、多くの保護者は、テレビ・動画を子どもが楽しむことにはおおむね好意的な態度を示し、認知・言語発達を促すのではないかとの期待感を持っていることが示されている。

前述のベネッセ教育総合研究所およびNHKの調査でも、スマートフォン等を介した動画視聴に関しては、小さい画面を眺めるため、視力への悪影響や、動画の質のばらつきなどによるマイナス面を懸念する声が、テレビよりは若干高いことが示されているものの、全体的には乳幼児のテレビ・動画視聴に対する反応は好意的だ。ただ、子どもへの教育的配慮から、子ども向けのテレビ番組・動画を選んでいると答えている保護者が多い。

では、テレビ・動画視聴は子どもの認知・言語発達にどのような影響を及ぼすのだろうか。

テレビ・動画の視聴と何らかの認知・言語発達を示す指標（テスト）を使った国内外の実証研究を見てみると、実は結果にばらつきがあることがわかる。乳幼児のテレビ・動画視聴は、「良い」とか「悪い」とか、単純に結論づけることができるものではないようだ。異なる結果を導き出している要因はいくつかあると考えられるが、有力なものとしては、子どもの年齢、視聴時間、どのような番組・動画を見ているのか（番組の質やタイプ）、ただ受動的にテレビ・動画を見させているか、保護者が一緒に見ているか否か、インタラクション（やりとり、対話など）があるか、認知・言語のどのような能力を計測しているかなどが挙げられる。さらに、テレビ・動画の視聴時間には、家庭の社会経済的地位（特に母親の学歴、母親のテレビ・動画視聴時間など）と相関関係があることから、こうした要因も間接的に結果に違いをもたらす要因となっている。

†2歳以下はテレビ・動画視聴を避けたほうがいい？

まず、大きな要因の一つ、子どもの年齢について見てみよう。これに関しては、アメリカの小児科学会が1999年に出した有名な報告書がある。それまでの実証研究のレビューを行い、その結果、2歳以上の幼児に関しては、質の高い、年齢・認知レベルに合ったテレビ番組・動画を視聴する場合には認知・言語発達上のメリットも期待できるが、2歳以下では、番組の質・視聴時間の長短にかかわらず、マイナスの要素のほうがプラスの要素より潜在的にずっと大きいと結論づけた。この結果を受け、報告書では、小児科医や教育者、保護者、子ども向けの番組制作者に対して、2歳以下の乳児へのテレビの視聴を避けることを促した（ただし、ここで挙げられているマイナス要素の中には、認知・言語発達上の要素だけでなく、睡眠や肥満、注意散漫、攻撃性、引きこもりなど、社会・健康上の要素も含まれている）。そして、2歳以上であっても、テレビ・動画の視聴は、1日2時間を限度に抑えることが好ましいとした（American Academy of Pediatrics, 1999）。

アメリカ小児科学会は、その後もこの問題を扱った実証研究のレビューを継続的に行っている。２０１１年、２０１６年に出された報告書でも、２歳以下の乳児の間では、テレビ・動画、その他のメディアの視聴によるメリットを実証的に裏づける証拠は十分ではないとし、基本的に同じ結論を繰り返している（American Academy of Pediatrics, 1999, 2011, 2019）。

この報告書の結果を受け、アメリカ以外の国でも同様の調査がなされた。日本の小児科学会も、１歳６か月児１９００名を対象とした２００４年の調査で、長時間のテレビ視聴（この調査では1日4時間以上と定義）をしていた乳幼児は、有意語（意味のある語）の出現が遅れたり、さらに一人で長時間テレビを視聴していた乳幼児では、言語の理解度にも遅れがでたとし、アメリカの小児科学会の報告内容を基本的に支持した（日本小児学会こどもの生活環境改善委員会２００４）。

2　なぜテレビ・動画視聴がプラスに働かないのか

†テレビ・動画の複雑な仕掛け

では、どうして2歳以前の子どもには、言語や認知発達面において、テレビ・動画視聴はプラスに働かないと考えられているのだろう。その理由を理解するには、年齢に応じて、子どもたちがどの程度認知・社会認知能力を発達させているのかを押さえておく必要がある。なぜなら、テレビ・動画といったマルチメディアの内容を理解し、そこから語彙など何かを学習することは、実は認知的に非常に複雑な行為だからだ。

そもそも、テレビ・動画上の情報を処理し、理解するには、どのような認知能力を必要とするのだろう。そしてそれは現実世界の情報（ここでは電子スクリーンを通さないでアクセスできる視覚・聴覚情報のこととする）を処理・理解するのとどのように違うのだろうか。

まず、テレビ・動画上のデジタル画像は、色情報を持った粒子（ピクセル）で構成されており、高性能のＨＤＴＶが可能になった今でも、現実世界と同じだけの情報を提供してくれるわけではない。特に深さに関する情報が十分でない。つまり、基本的にテレビ・動画上でもたらされる情報は2次元情報であり、現実世界の情報は3次元情報なのである。

テレビ・動画上の画像の動きにも、現実世界とは違う点が多い。たとえば、現実の世界で、目の前をペットの犬が左から右へ走り去ったとする。私たちはその犬の動きを、頭を動かしながら追う。犬が壁の前で止まるまで、その動きが継続する。しかし、テレビ・動画では、スクリーンの右端まで犬が到達した段階で、犬の動きはいったん切断される。その後、犬がまたスクリーンの左から現れて右の端まで行き、それが何回も繰り返されたりする。このように、スクリーンという束縛があるゆえ、空間の使い方が、現実世界とは違うのである。

空間だけでなく、時間も同様である。現実世界では、時間が後戻りすることはないが、映像の世界では、自由に時間が戻ったり、先に進んだりする。テレビや動画では、時間の経過や、異なる時間での出来事、空想を現実と区別するための仕組みがある。たとえば、映像上の仕組みの一つにワイプがある。ワイプとは英語の wipe（消し去るという意）からきていて、主画面の画像に別の画像を入れ込むことをさす。未来の想像図が主画面の横上に小さく現れたり、紙芝居のように、最初の画面が横にスライドして消え、別の場面がでてくることで、時間がたったことを示したりする。このようにワイプにはいろいろなタイプがある。こうした映像ルールを子どもは知る必要がある。

さらにもちろん、テレビ・動画では、言語的な情報も活用される。時間を後戻りさせたり、逆に早めたりするのに、動詞の過去形を使ったり、時間を表す言葉や表現（「昨日」や「それからしばらくして」など）を使ったりする。言語能力が高く、経験豊富な大人は意識することもないかもしれないが、そもそも日本語は時制表現があまり明確でない言語であることも影響し、テレビや動画の言語的てがかりを有効に利用して、時間の経過やさかのぼりを正確に理解するのは、実は小学生でもなかなか難しいのだ（村野井２０１６）。

さらに、音による仕掛けもある。テレビ・動画上でも、現実の世界でも、視覚情報に加え、聴覚情報も同時に処理する必要があるが、それをうまく行うには、視覚情報と聴覚情報がシンクロナイズ（合致）していることを理解しなくてはいけない。そんなことは自明のように思うかもしれないが、これもテレビ・動画上で、必ず起こっているわけではない。たとえば、テレビ・動画では、特定の内容やキャラクター、アクションなどに視聴者の注意を喚起するために、（現実には起こらない）音響効果を使うことがある。また、現実にはないバックグラウンド音楽（ＢＧＭ）をのせることもある。実は、テレビ・動画上の音情報は、スクリーン上の視覚情報と合致していないことも多いのだ。

このように、テレビ・動画上の情報を正確に理解するには、子どもたちは、現実とは違う、映像上のさまざまな仕組みを理解し、いろいろなタイプの情報を合致させる必要があり、それには相当の認知能力が必要だということがわかる。

†2歳までの「見る力」

では、乳幼児の認知能力はどのようなものなのだろう。テレビ・動画には多くの情報があふれている。まず「見る力」はどうなのだろう。画面を集中して見続けることができなくては、内容を正確に理解するための情報を断片的にしか得られないことになってしまう。

生まれた直後の赤ちゃんの視力は、聴力と比べるとかなり見劣りする。ただ、生後6か月の間に、脳は驚くべき発達をとげ、この間に赤ちゃんの感覚、知覚、その他の認知能力は、急激に向上する。月齢6か月ごろまでには、ビデオに映った物体やキャラクターなどを認識することはできると考えられている。

しかし、彼らの視力が大人と同じようなレベルになるには、3年ぐらいはかかるようだ。6か月児は、現実世界では、視覚情報と聴覚情報を結びつけることもできるようになるが、果たして、テレビや動画でどのくらいできるのかは、まだあまりよくわかっていない。動画上でも、シンプルな動作を繰り返し何度も見せれば、その動作の模倣ができるようになったとする研究報告（Barr, et al., 2010）もあるが、実際のテレビ・動画の情報は実験室で使われるよりずっと複雑なものが多く、情報量も多い。BGMがあると認知的負荷がかかりすぎるのか、動作の模倣がうまくできないという研究結果もある（Barr, 2010）。6か月以前の赤ちゃんにとって、テレビ・動画上で視覚情報と聴覚情報をうまく結びつけることは難しいようだ。

同様に、テレビ・動画を長いあいだ注視したり、集中して見たりすることも、6か月以前はなかなか難しい。月齢6か月以前の赤ちゃんでも、テレビ・動画を注視することはできる。実は、アカゲザルでもテレビ画面を注視することはできる。ただし、年長の赤ちゃんや大人と異なり、月齢6か月以前の赤ちゃんやアカゲザルは、長い間注視することができない。長時間注視できないということは、画面の対象物や内容と深く関っていないということを示唆している。

図2－2および図2－3は、村野井（2016）に基づき、乳幼児がNHKの「おかあさんといっしょ」をどれだけ注視しているかを、平均注視時間、最大注視時間、および25分間中の注視率で示している。ここからわかるように、年齢が上がるごとにいずれの指標も上がっていくことがわかる。ちなみに、欧米でも1970年代から同様の研究の蓄積がある。2歳以下を対象に特別に作られた番組や動画を使った場合には、製作者も赤ちゃんの興味をひくようなさまざまな努力をしているせいか、2歳以下でもある程度の時間、注視できていることが報告されている（実は、村野井のデータは、注視時間も注視率も、欧米で

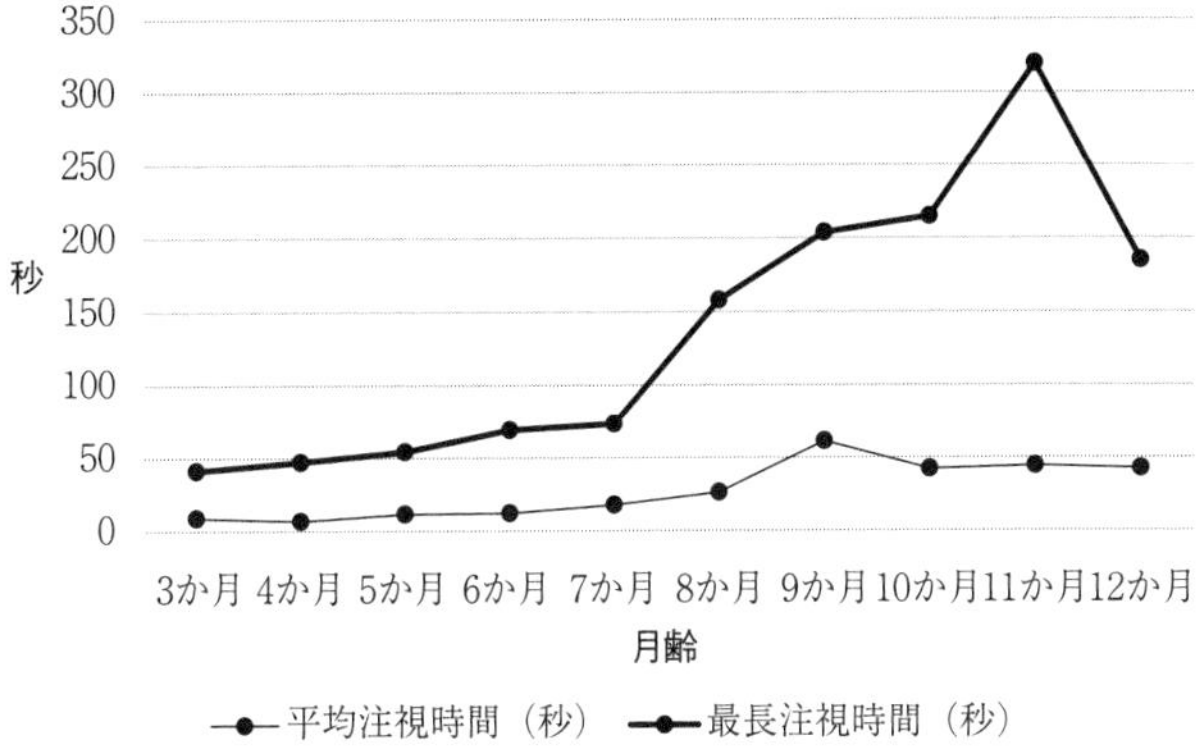

図2-2　子どもの「おかあさんといっしょ」の平均注視時間と最長注視時間　出典：村野井（2016）p.51のデータをもとに著者作成

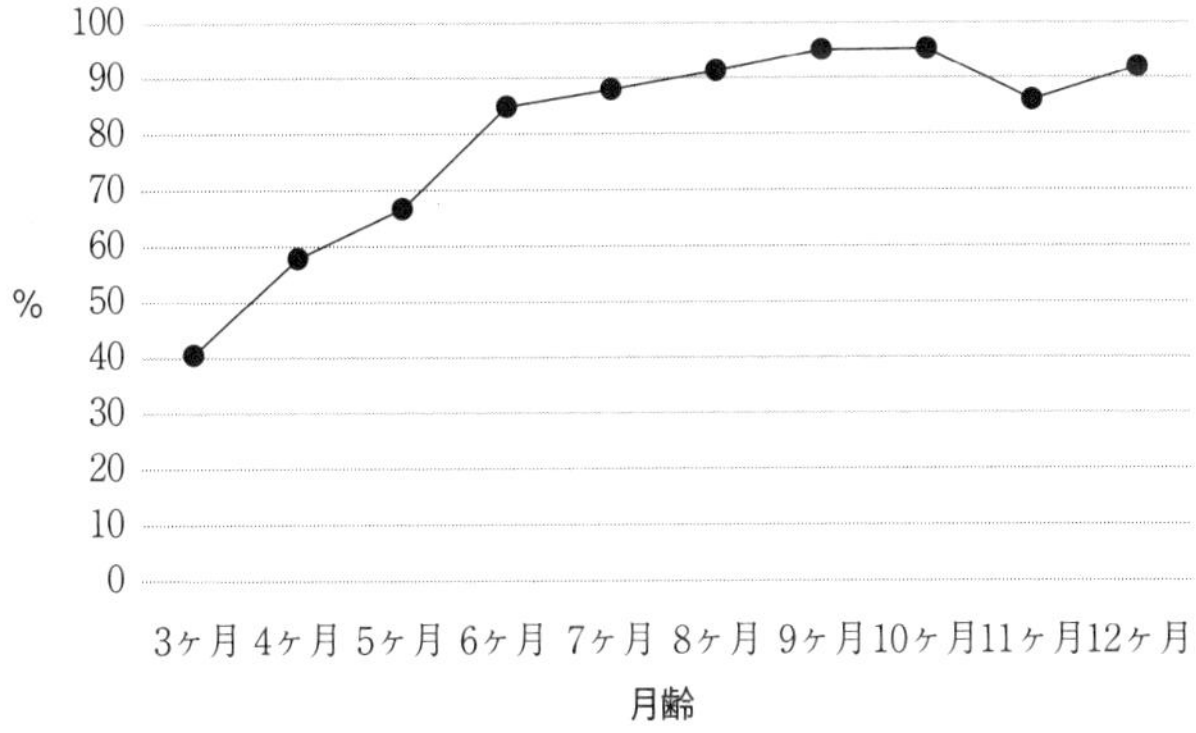

図2-3　子どもの「おかあさんといっしょ」の注視率（%）　出典：村野井（2016）p.51のデータをもとに著者作成

行われた先行研究と比較すると、かなり大きい数字がでている。結果のばらつきは、測定方法の違いによるところもあるが、なんらかの理由で「おかあさんといっしょ」が子どもの注意をひくことに成功しているのかもしれない)。

†注視は理解を意味するか

赤ちゃん向けに作られたテレビや動画では、2歳以下でもある程度の注視率を引き出せることはわかったが、ここで問題となるのは、注視できるということの意味だ。注視しているということは、理解しているということなのだろうか。彼らが注視するのは、視覚や聴覚情報が変化したりするのに単に反応しているのか、それとも内容を理解しているからなのか。

実は、2歳以下の子どもの注視の意味は、あまりよくわかっていない。ただ、バールらの研究では12か月から15か月の赤ちゃんは、馴染みのある赤ちゃん向けのビデオを、見慣れていないビデオより長く注視していたと報告している(Barr & Linebarger, 2017)。この結果が示唆することは、目新しさが注視の要因では必ずしもないということだ。

一方、アイ・トラッキング(視線計測)を使って、セサミストリートを見ている時の目の動きを調べた実験では、幼稚園児は、キャラクターのアクションにそった目の動きをしていたのに対し、2歳以下の乳幼児の目の動きはばらばらになることが多い傾向が示された（Kirkorian et al., 2012）。

また、2歳、3歳半、5歳を対象としたアンダーソンらの研究では、セサミストリートの内容が理解できないように3種類の方法で操作して（ショットの順番を滅茶苦茶にしてみた、音声テープをさかさまに流した、外国語に吹き替えた）、もともとのビデオを見せた時との反応の違いを調べた。その結果、2歳児グループを含むすべてのグループで、もとのビデオのほうを長く注視していたことがわかった。後にTeletubbiesという2歳以下向けの赤ちゃんビデオを使い、18か月の赤ちゃんでも同じ実験をしたところ、18か月児でも同様の結果が得られたとしている。少なくとも、2歳ごろまでには（そして内容が年齢に即していれば、実は1歳半ぐらいから）、ショットの順序や言語的な情報の操作（つまり内容を理解するための情報）に対して、敏感に反応できるようになっていることがわかる（Anderson & Pempek, 2005）。

さらに音楽や色の変化への反応をみた実験などから総合的に判断すると、どうやら1歳半から2歳半ぐらいの間に、視覚聴覚的に目立つ特徴に注意が向いていた状態から、徐々に視覚聴覚的に目立たない特徴や、内容（内容を理解するための情報）のほうに注意がいくように変化が起こっていることがわかってきた。

3 「ビデオ不全」

†「ビデオ不全」問題

年齢に相応したビデオなら、2歳以前でも、内容を理解するための情報に敏感に反応できるということはわかった。では、2歳以前の赤ちゃんはテレビ・ビデオから、本当に何かを学ぶことができているのだろうか。

実は、2歳以下の乳幼児の場合、テレビ・ビデオからの学習は、現実の世界で同じことを学ぶのに比べて、学びが劣るということがしばしば指摘されてきた。この現象は「ビデオ不全」(video deficit)などと呼ばれる。先行研究の多くは、子どもに、ビデオまたは現実で見たことを模倣させてみたり、ビデオまたは現実で見た情報に基づき、隠されたモノを探すというタスク(モノの動きや順序に関する情報の理解)をさせて、ビデオ条件と現実世界条件でのパフォーマンスを比べるという方法をとっている。このような研究の多くは、2歳以下では、ビデオから得た情報をもとに行うタスクだと、現実で行う同じタスクよりも、パフォーマンスが落ちるという結果を報告している。現実世界で、モノを実際に見たり、聞いたりしたほうが、ビデオを通してより、学びが進むようなのだ。

数はまだ少ないのだが、ビデオ不全が言語習得にもあるのかを検証した研究も行われている（Zimmerman et al. 2007b など）。語彙習得に関しては、2歳以下だとビデオ不全が観察されるケースが多いようだ。2歳以下の場合、ビデオを見ていた乳幼児は、見ていなかったグループに比べると、語彙の習得が少ない、または違いがないとする報告が多い。その一方で、2歳以上だと、ビデオからも十分に単語を習得していけることが示されている。

音の認識に関しても、同様の結果が報告されている。実は、人間の赤ちゃんは生まれた時には、さまざまな自然言語で使われているすべての音（最小の音の単位を音素という）を聞き分ける能力がある。日本語を話す両親のもと日本で生まれた赤ちゃんで、一度も英語を聞いたことがなくても、LとRの音を難なく聞き分けることができる。アラビア語の音素も、中国語の音素も、問題なく聞き分けられる。ところが、この能力はだいたい1歳の誕生日を迎えるころまでに衰えてしまい、耳にしない外国語の音素は聞き分けられなくなってしまう（Werker, 1989）。

クールらの研究グループは、アメリカの赤ちゃん（つまり普段英語を聞いている赤ちゃん）に12セッションにわけて5時間ほど、月齢9か月から10か月の間に、中国語（北京語）をDVDで聞かせ、同じ内容の中国語をライブで聞かせた（つまり直接人間から聞かせた）グループと比較してみた。その結果、ライブで中国語を聞かせたグループは、中国語の音素を聞き分ける能力を維持したが、DVDを通して同じ内容の中国語を同じだけ聞いたグループは、まったく中国語を聞く機会を与えなかったグループ同様、中国語の音素を聞き分けることができなくなっていた（Kuhl et al., 2003）。ここでも、ビデオ不全を支持する結果となったわけである。

✝ビデオ不全はなぜ起こるのか

なぜ、2歳以下でビデオ不全が起こるのか。そのメカニズムに関しては、完全に解明されているわけではない。すでに触れたように、そもそも認知発達的に、2歳以下の乳幼児では、2次元の情報を3次元の情報に変換するのが難しいことが一因といわれている。ただ2歳以下でも、自分自身の映像を何度も繰り返し見たりした場合には、ビデオ不全を緩和することができたという報告もあることから、認知発達レベルだけでなく、経験の度合いも関係している可能性がある。前に説明したように、テレビやビデオが持っている、現実とは違う空間・時間の扱い方などに慣れる必要があるのだ。また、年齢以外のどの要因を統計的に統制するかによって、多少異なる結果がでることも報告されている（Ferguson & Donnellan, 2014）。

日本の乳幼児（18か月児）を対象に行われたオオクマとタニムラ（Okuma & Tanimura, 2009）の研究では、言語習得に遅滞のあるグループ（18か月の段階でまだ1語レベルの発話しかできない乳幼児と定義）と、そうでないグループとで、どのようなテレビ番組を好んで見ているかを比較し、その特徴を分析している。アニメ番組や教育番組はどちらのグループの乳幼児も好んで見ていたが、言語発達に遅れが見られたグループにより好んで見られていたのは、リアリティーのある長いアニメ番組（90分以上のもの）と0歳児向けの英語や数字を教える動画であった。こうした番組に共通の特徴としては、キャラクターが視聴者を直接見つめるシーンが少ないこと、そして常にイメージが変化していることがあったという。

では、こうした特徴を持ったテレビ番組や動画は、どうして言語の習得にマイナスに働く可能性があるのだろうか。

2歳以下の乳幼児がテレビを見ている様子をじっくり観察すると、気に入ったシーンで、微笑んだり、言葉を発したり、キャラクターの歌や行動をまねてみたり、指さしを行ったり、質問をしたりしており、そこで保護者や他の人間とのやりとりを行うことで、言語的な刺激が発生する。また、乳幼児は画面にでてくるキャラクターや人間の顔を集中的に見ていることが知られている。オオクマとタニムラは、キャラクターが視聴者を直接見つめるシーンが少ないと、こうした言語習得に重要な人間とのコミュニケーションが生まれにくくなり、受動的な視聴が起こりやすいのではないかと推測している。

さらに、人間は生存のために、動きまわる物体を常に追う習性が生まれつき備わっている。そのため、場面が常に変化することで、赤ちゃんは長時間画面を見続けることになる。これが、言語発達にかえってマイナスに働いている可能性がある。逆に、場面ごとにしばしば中断が入ったりすれば、乳幼児は画面を見るのを一時的にやめ、おもちゃをいじってみたり、保護者に話しかけたりすることがしやすくなる。こういったことが、言語の習得にはプラスなのではないかと考えられるのである。

初期の言語の習得には、相互交渉（インタラクション）と身体性（実際に体を動かしたり、ものに触れたり）の役割が大きい。たとえば、クールらが英語圏の11か月の赤ちゃんを対象に、スペイン語を教えた研究では、ライブ条件でスペイン語のチューターと赤ちゃんがどれくらいの頻度で相互作用を行ったか（たとえば、同じものに同時に注意を向けたかなど）により、スペイン語の音と単語をどれだけ習得したかを予測することができた（Kuhl & Rivera-Gaxiola, 2008）。

ビデオ不全の詳細なメカニズムを調べた研究はまだ数が少なく、わからないことが多い。しかし、いずれにせよ、2歳以下のテレビ・ビデオ視聴は、言語習得を含めた学習には、あまり効果的とはいえないようである。そしてそこには、子どもの発達レベルに応じていかにテレビ・ビデオを見せるか、見ながらどんなコミュニケーションができるかということが、深く関わっているようだ。現実には、テレビ・動画の視聴はどんどん低年齢化しているが、2歳以下の乳幼児の場合は、見せ方に注意が必要だといえるだろう。

†2歳以上で言語発達を促進する視聴の条件

一方、2歳以上では、テレビやビデオの言語習得への効果はいくつも報告されている。アメリカ小児科学会のレポートでも、その効果は認めている。しかし、テレビ・動画の視聴が無条件にいいというわけではない。

まず、番組や動画の内容により、単語の習得（単語認識と産出の両方）への、効果の度合いが違う。すでにオオクマとタニムラ（2009）の研究で見たように、やはり、キャラクターが直接視聴者である子どものほうに目を向けたり、話しかけたりする、子どもの発話を促す、ものの名前（単語）を示す、それに対して、子どもが反応できる機会を与えるなどの仕組みがそなわっている番組や動画は、子どもの語彙習得にプラスに働いていることがわかっている。

さらに、絵本的な要素を備えているものも語彙の習得に効果的なようだ。ストーリーがあり、そのストーリーに合わせて、適切な視覚的刺激が付加され、明確にことばの音と意味が示され、キャラクターが示すお手本に従いながら、一緒にその語を発話したりできるような仕組みが好ましい。やはり、ここでもインタラクションが鍵であることがわかる。保護者が絵本を習慣的に読んであげている子どもは、同じような絵本的な要素をもった番組・動画を好んで見る。それが語彙習得に、相乗的な効果をもたらすことも知られている(Linebarger & Walker, 2005)。

内容に関して、もう一つ注意したいのは、大人向けの番組や動画の視聴は、子どもの言語習得にはプラスに働かないばかりか、マイナスな結果をもたらす傾向があるという点だ。保護者が大人向けの動画をスマートフォンなどで視聴するのを、子どもが一緒に見ているというケースが増えていることを示す統計を紹介したが、こうした行いは気をつける必要があるだろう。

次に、注意したいのは、視聴時間だ。子ども向けのテレビ番組や動画が、言語習得に効果があるといっても、長時間見すぎているのはやはり良くないようだ。テレビの視聴時間と、さまざまな言語指標(語彙数、音素の認識・産出、発話の流暢《りゅうちょう》さ、聞き取り・理解、読解力など)との間には、負の相関があるとする結果が多く見受けられる。幼稚園児を対象とした最近の脳科学研究では、この時期の子どもの言語発達に重要な役割を果たすとされる白質と呼ばれる部分の領域面積と子どもたちのメディア視聴時間との間に、負の相関が見られたとする報告もある（Hutton et al., 2020）。ただ、何時間ぐらいまでだったらよいのかという線引きは難しい。そこには、すでに話したように、テレビ番組・動画の内容だけでなく、いろいろな要素が複雑に関係してくるからだ。

たとえば、テレビ・動画視聴の仕方と時間に大きく関わっている要素の一つに、家庭の社会経済的地位（Socioeconomic Status, SES）がある。社会経済的地位は、多くの研究調査では、世帯収入、保護者の教育水準や職業、その他さまざまな社会文化資源等で測られることが多い。

社会経済的地位の低い家庭では、テレビ・動画の視聴を好ましく思う度合いが強く、視聴時間も長い傾向がある。それに加えて、家の蔵書量や（保護者および子どもの両方の）読書量が少なく、子どもとの相互交渉の度合いも少ない傾向がある。社会経済的地位と子どもの語彙の習得には、相関があることはよく知られている。そのため、テレビ・動画の視聴時間と語彙習得の関係を考える時、社会経済的地位に関係するさまざまな要因の影響を排除することはできないのである。

さらに、社会経済的地位の違いにより、言語習得のストラテジーにも差があると指摘する研究者もいる。たとえば、テレビの教育番組で、教えたい単語を音声だけで提示するのではなく、字も同時に提示した場合（キャプション）の効果も、社会経済的地位によって違いがでるという（Linebarger et al., 2013）。同じ刺激を同じ時間見ていても、効果が違う可能性があるらしい。

いずれにせよ、目的が不明なまま、なんとなく子どもに長時間テレビ・動画を与えておくというやり方は、避けたほうがよいだろう。また、大人向けの番組や動画を、自分が見るついでに子どもにも見させるのも好ましくない。こういった形の視聴は、子どもの言語習得に非常に大切な相互交渉の質と量とを損ねてしまう可能性が高いからだ。

4　相互交渉

†どのような相互交渉が大切なのか

テレビ番組や動画を見る際に、一緒に見ながら相互交渉をする（やりとりを行う）ことが大切なことはわかった。では、実際どのような相互交渉をすると語彙習得や言語理解を促進するのだろうか。

基本的に、まず視線を上手に使って、子どもの気をスクリーンに向けさせて、スクリーン上のモノやキャラクターに、一緒に注意を向けること（joint attention、共同注意）が大切である。その上で、番組や動画の内容や、子どもの反応に対して言語的な反応を返してあげることが重要だと考えられている。

子どもは、大人が同じものを見ていないと、大人の顔を見て、大人が視線を向けているものを見る。では、子どもはビデオの中の人物と共同注意を行うことはできるのだろうか。もちろん、子どもは、ビデオの中の人物の視線を追うことができなくはないが、ビデオの中の人物（またはキャラクター）は、現実世界の大人のように、子どもが本当に同じものに注意を向けているかのチェックもできないし、適切なフィードバックを与えてあげることもできない。逆に言うと、このようなフォローが、子どもと一緒にテレビやビデオを見る時には重要なのである。

ただ、単語を教える動画を子どもと一緒に見る場合、大人がターゲットになる単語を何度も言ったり、長い文を使ってみたりなど、視聴中に、とにかくたくさん発話をしてあげればいいというわけでは必ずしもない。発話量自体より、発話のタイミングと質がより大切なようだ（Sims & Colunga, 2013）。

3歳児（30か月から35か月児）を対象にしたある研究では、ビデオの中の人形がアクションをしながら新しい動詞を提示したのを見ただけでは、子どもたちはその動詞を学ばなかった。しかし、一緒にいる大人がまずそのアクションをしながら動詞を言ってあげてから、一緒に同じビデオを見ると、今度は動詞を学ぶことができたという (Roseberry et al., 2009)。同じように、2歳児 (24か月) に新しい名詞を教えるビデオ視聴の実験では、子どもが現実に手で抱えているモノと同じモノをビデオに映し、その名前をビデオ上で提示しても学べなかった。ところが、保護者が「同じものだよ」とひとこと言ってあげると、今度はビデオで提示された名称を学ぶことができたという (Strouse & Troseth, 2014)。

†ストラウスらの実験

ストラウスらは、保護者がビデオを就学前の子どもと一緒に見る時も、対話的質問形態をとると効果的だとしている。対話的質問とは、学校の教室の中で、先生が子どもたちに使うことで、子どもの読解力が上がったとする方法である。

具体的には、まず子どもの注意をひき、次に認知処理を高め、その上に社会的なフィードバックを与えるという3つの要素を満たしている一連の対話形式をいう。子どもの注意をひくには、まず大人がビデオの内容に集中する様子をモデルとしてみせたり、視線をうまく使い、同じ対象に注意を向けることで行う。その後子どもに、どんなことが、いつ、どこで、どんな風に、なぜ起こったのかといった認知処理を助ける質問を行う。その際、

条件	注意喚起	認知的な手助け	社会的フィードバック
対話的質問	高程度	高程度	高程度
注意喚起	高程度	低程度	中から高程度
対話的女優	中から高程度	中から高程度	低程度
なにもしない	低程度	低程度	低程度

表2－1　4つの条件の比較　出典：Strouse et al.（2013）p.2371をもとに著者作成

子どもの認知処理を助けるためのさまざまな手助け（ヒントを与えたり、子どもの経験や既存の知識と結びつけたり、子どもの質問に答えたりなど）をすることにより、子どもの語彙習得を促進し、内容理解を深めることができるという（Strouse et al., 2013）。

実際ストラウスらは、3歳児と保護者が物語ビデオを一緒に見る時に、対話的質問形態が子どもの物語理解と語彙の習得（この研究では、産出語彙）に本当に効果的かどうかを検証した。81組の親子のペアが4つのグループに分けられ、親子で複数のビデオを4週間にわたって視聴した。最初のグループは適宜にビデオをとめて、保護者が対話的質問を行った（「対話的質問」グループ）。後の3つのグループは、それぞれ「注意喚起」（ビデオを適宜とめて、そこで起こったことに子どもの注意を喚起するようにはするが、質問はしない）、「対話的女優」（対話的質問を保護者ではなく、ビデオの中の女優が行った）、「なにもしない」（ただ、一緒にビデオを視聴する）という条件であった。この4つの条件を比べると表2－1のようになる。

結果は予想通り、保護者による対話的質問を行ったグループが、4週間後に行った物語理解と語彙のテストで、いずれも他のグループより高いパフォーマンスを示した。保護者と子どもとのやりとりを詳しく分析したところ、保護者による対話的質問のグループが、一番多くの発話を子どもから引き出すことができたが、興味深いことに、「対話的女優」のグループの子どもも、週を追うごとに子どもの発話が増えていき、一緒に見ていた保護者も（研究者の指示に反して）自然に子どもの質問に反応するなどの行動が観察された。「対話的女優」のグループでは、ビデオの中の女優が対話的な質問を行うものであったことを思い出していただきたい。この条件下では、子どもと一緒に情報を確認し、理解・記憶を促進するための手助けはあるものの、個別の子どもの場面に即した認知機能促進のための手助けは行うことができない。その個別の支援を、一緒に見ていた保護者が、自然に行い始めたという点は非常に興味深い。

ストラウスらは、保護者（または別の生身の人間）と子どもが一緒にビデオを見ながら対話的質問を行うことが非常に大切であることには変わりはないものの、対話的質問の要素をビデオに組み入れることで、ある程度、ビデオの教育的効果を増すことができるのではないかと提案している。

†バックグラウンド視聴に注意

ここまで、子どものテレビや動画の視聴を言語習得と結びつけるには、保護者や他の人間との相互交渉が重要だということを見てきた。これと関連して、もう一つ注意しておきたいことがある。それは、「バックグラウンド視聴」だ。バックグラウンド視聴が起こるのは、保護者が大人向けのテレビ・動画を乳幼児と同じ空間で見ている場合である。たとえば、子どもがおもちゃで遊んでいる同じ部屋で、保護者が自分の見たいテレビ番組を見ている場面を想像していただければよい。子どもの立場から言うと、自分が他にやりたい行為の裏で、テレビないしは動画が流れていることから、「バックグラウンド視聴」と呼ばれている。

アメリカ小児科学会の報告書によれば、このバックグラウンド視聴も、子どもの認知処理、記憶、読解等に、マイナスの影響を及ぼすことになるという。「バックグラウンド視聴」状況では、大人は子どもからの問いかけに注意散漫になったり、同じモノに同時に注意を向けたりということも少なくなる、またはなくなる。子どもとの対話の量も減る。ここまで見てきたように、言語習得には、こうした相互交渉の量と質が非常に大切であることから、バックグラウンド視聴状況下における相互交渉への影響が、ひいては子どもの言語習得にマイナスにつながっていると考えられている。

さらに、12、24、36か月歳児を対象にしたある実験では、バックグラウンド視聴状況での遊びでは、子ども自身はほとんどテレビ画面を見ていないにもかかわらず、バックグラウンド視聴がない場合（つまりテレビが消されている状況）と比べると、おもちゃを使って行う遊びの質も、集中度も落ちてしまうということが示されている（Schmidt et al. 2008）。おもちゃを与えて子どもを遊ばせながら、自分はテレビを見たり、スマートフォンで動画を見てしまいがちな保護者には、警告といえるだろう。

†子ども向け外国語学習アプリ

最後に、乳幼児を対象にした外国語学習アプリ（日本の場合はほとんど英語学習アプリ）について、簡単に触れたいと思う。最近では0歳児を対象にしたものから、さまざまなものが開発されている。おそらく、「外国語学習の開始は早ければ早い方がいい」という考えが、広く流布《るふ》していることも、子ども向け外国語学習アプリの増産の一因であろう。

しかし、多くの予想に反して、日本で英語を学習するような外国語学習環境では、学習開始年齢が早ければ必ずしもいいわけではないことがわかっている。毎日大量のインプットを浴びることができる第二言語環境（たとえば、日本人の子どもがアメリカで英語を習得するような状況）とは異なり、外国語学習環境では、いつ学習を始めたかではなく、得られた言語インプットの量と質のほうが、習得の度合いに大きな影響を与える。特に、語彙や文法の習得などに関しては、ある程度認知機能の発達してきた小学校高学年あたりから始めたほうが、乳幼児期から始めるより、効率がいいことが実証されている（バトラー2015）。

子ども向けの外国語学習アプリは巷《ちまた》にあふれているが、こうしたアプリの効果をきちんと検証した研究は残念ながら今のところ（2021年3月時点で）ほとんどない。ただ、今までの議論から、いくつかのことは予想できる。まず、2歳以下の乳幼児を対象としたものは、「ビデオ不全」の理由からあまり効果は期待できないだろう。1歳以下で外国語の音素を区別して認識する能力を維持したというクールらの研究を以前に紹介したが、それも生身のチューターとのインタラクションによるもので、ビデオ視聴によるものではなかった。2歳以上の子どもの場合は、そのアプリの内容が子どもの年齢に即した適切なものであった場合、保護者や他の大人による意味のある相互交渉が十分に行われれば、ある程度の効果（特に音声の習得に関して）は望めるかもしれない。ただ、その「効果」のほどが、どれだけ時間とお金に見合ったものなのかは不明だ。

チィクは、アップル・ストアからダウンロードできる、子ども向けの英語語彙学習アプリ90本の説明書きを分析した（Chik, 2014）。それによると、多くのアプリは、6か月児から を対象にしたものを含めて、保護者や他の大人との相互交渉を考慮したものでなく、子どもが一人で学べることを前提としているという。

多くのアプリでは、ゲーム的要素を取り入れ、楽しく学べることを強調しているが、学習に対し単純な報酬を提供する形式を持っていた。その教育効果は専門家のお墨つきであることをうたっているものの、専門家の監修が実際に入っているものはほとんどなく、ユーザーのランダムなコメントを、その効果の根拠として挙げていた。さらに、多くの無料ソフトは、プロテクションの機能がなく、子どもが誤作動で簡単に有料サイトへ入ってしまえるようになっていた（Chik, 2014）。同様に、0歳児から8歳児を対象にしたヨーロッパ4か国で人気の学習アプリを分析したサリらの研究でも、音声言語を対象としたものは少なく、多くのアプリは初期のリテラシーをサポートするもので、指定されている対象年齢の発達段階よりも、実際は高い年齢層にふさわしい内容になっているといっている（Sari et al., 2019）。

いずれにせよ、乳幼児を対象とした外国語アプリを使う際は、それが本当に発達年齢に合ったデザインのもとに作られているのかを確認し、保護者や人間による相互交渉を行いながら使うことが必要なのだろう。何を目的として子どもに外国語アプリを与えるかにもよるが、言語習得に関しては、過度の期待はしないほうがよさそうだ。

†まとめ

この章では、学齢期以前の乳幼児とマルチメディアの影響を見てきた。保護者はマルチメディアの教育上の効果を期待しているが、ただ見せておけばいいというものではない。マルチメディアを使ったとしても、同時に行う生身の人間との相互のやりとりが、子どもの言語習得に非常に大きな役割を果たす。

さらに、2歳以前の赤ちゃんの場合は、ビデオ不全問題があること、2歳以上でもバックグラウンド視聴には注意する必要があることを指摘した。2歳以上の場合は、テレビ・動画からも学ぶことができるが、外国語学習アプリに関しては、その効果のほどは、まだあまりよくわかっていない。外国語学習環境下では、必ずしも学習開始時期が「早ければ早いほどよい」というわけではないので、何も慌てて早期から始める必要性はない。

第3章
デジタルと紙の違いは何？
――マルチメディアと読解力

1 「読む」とはどんな行為か？

†デジタルと紙媒体での読解

第2章では、テレビや動画に代表されるマルチメディアが、語彙習得を中心とした乳幼児の言語習得にどのような影響を及ぼすかということを見てきた。この章では、デジタル絵本やデジタル書籍が、年長の子どもたちや大学生の「読み（reading）」に及ぼす影響について考えてみたい。ここで「読み」というのは、文字の解読化（decoding）や単語を認知する過程などを含む、読解全般のことをさす。

第1章でPISAの「読解リテラシー」について言及したが、デジタル時代を生きる子どもたちにとって、読みとは、単にテクストの理解（つまり伝統的な読解の概念）にとどまらず、さまざまな聴覚情報（音響効果など）、視覚情報（表、グラフ、イラスト、写真、動画など）、空間情報、そして触覚情報なども含めた多角的な様式を総合利用した理解・解釈・創造を意味するようになってきている。私たちも、伝統的な読解観を超えて、読みをずっと広義に、かつ柔軟性をもってとらえる必要がある。

この章では、マルチメディアを使った読みに関するトピックの中から、特に教育的関心が高いと思われる二つのテーマを取り上げたいと思う。まず、幼稚園や小学生（特に小学校低学年）を対象とした電子書籍（英語では electronic book または e-book と呼ばれる）が子どもたちの初期のリテラシーの発達に与える影響について考える。デジタル絵本・物語本は、近年、出版数も増加をとげており、保護者からの人気も高まってきているからだ（Ammet, 2019）。デジタル絵本や物語本は、子どものリテラシーの発達に本当によいのか。デジタル絵本や物語本を使う際に、何か気をつけなくてはいけないことはあるのだろうか。

次に、対象年齢を少し上げて、デジタル・スクリーン上の読みと紙の上での読みでは、何が同じで何か違うのかを見ていく。日本でもデジタル教科書の導入が始まり、今後、デジタルでテクストを読み、学習することがますます増えるだろう。第1章で見たように、大学生では、スクリーン上で読むほうが紙媒体より多いという学生が増えてきている。その一方、年配の読者の間では、電子ファイルの内容を紙にプリントアウトして読んだほうがいいと思う人も少なくないだろう。

果たして、デジタル媒体と紙媒体の読みとでは、読解のプロセスと結果に違いがあるのだろうか。もし違いがあるとすれば、その違いを理解しておくことは、デジタル教科書をはじめ、オンライン・テクストのデザインをしたり、教育指導計画を立てたりする上で、役に立つだろう。

†デジタル絵本・物語本とは何か？

まずデジタル絵本・物語本から始めよう。そもそもデジタル絵本・物語本とは何だろうか。デジタル絵本・物語本は、当たり前ではあるが、従来の紙媒体の絵本や物語と同様、ストーリーの要素を備えていなくてはならないとされる。ストーリーを形成する要素のことをストーリー文法などといったりするが、ストーリー文法によると、まず時系列的に物事やアクションが起こる。一連の出来事には因果関係があり、最終的なゴールがあり、そのゴールを達成するにあたり、何らかの障壁を乗り越えて、最終的な結末に至るなどといった要素がストーリーの中に含まれる（Stein, 1988）。デジタル絵本・物語本は、こうしたストーリー要素の上に、マルチメディアの要素が付加されたものだと考えられる。

最も一般的なマルチメディアの要素としては、テクストを読みあげてくれる機能（つまり、文字を見ながら、音声を聞くことができる）やハイパー機能（イメージ、音響効果、アニメーション）などがある。その他、デジタル絵本・物語本によっては、全体を見通せる目次があったり、ゲーム、クイズなどができるようになっていたり、辞書機能、ホットスポット（クリックするとアニメーションがでてくるもの）などの諸機能がついているものもある。また、従来の紙の本と同じように、スクリーン上でページをめくれるような形になっていることもデジタル絵本・物語本の要素だと主張する人もいる（Zucker et al., 2009）。こうした要素を備えていることが条件だとすると、単にアニメーションと単語（文字と音声）を提示しただけのようなものは、ストーリー性という重要な要素を欠くので、通常はデジタル絵本・物語本の中には入らないことになる。

残念ながら、現時点で、日本語のデジタル絵本・物語本がどんな機能を備えているかに関するデータはないのだが、２０１９年にイスラエルの研究者が、３歳から8歳児を対象にしたヘブライ語と英語で書かれたデジタル絵本・物語本（それぞれ16冊と17冊で計33冊）の特徴を調べたものがある（Korat & Falk, 2019）。テクストのない絵だけの本は分析の対象から除かれている。ヘブライ語の本も英語の本も、傾向はかなり類似していたので、両方の本をまとめた33冊分のうち、当該機能をつけた本の割合が高かったものを表３－１にリストアップしてみた。

この表からデジタル絵本・物語本の機能の特徴がいくつか見えてくる。多くの本は、スクリーンを前に戻したり、後に進めたりできるが、ナレーションを聞きながらのハイライト（文字やその背景の色が変わったりすること）は、語のレベルにほとんど限定されている。多くの場合、ナレーションをミュートにして、紙の本のように読むこともできるようだ。

特徴	特徴をもった本の割合（%）
プロセスに関する特徴	
ナレーションを前に進めたり、後に戻すことができる	97.0
スクリーンのテクストを読み返す	60.0
テクストをハイライトする	
語レベル	76.0
韻レベル	12.0
文レベル	12.0
ナレーターの読みをミュートにする	97.0
バックグラウンド音楽	60.6
マルチメディアによる付加機能	
自動アニメーション	69.7
イラストに付加したホットスポット	81.8
辞書または語の説明	18.2
ゲーム機能	
ストーリー内のみ	38.5
ストーリー外のみ	38.5
ストーリー内・外両方	23.1

表3-1　デジタル絵本の特有な特徴を備えたヘブライ語・英語のデジタル絵本の割合　出典：Korat & Falk (2019) p.213の内容をもとに著者作成

バックグラウンド・ミュージックがついているものも半数以上を占める。

　ここで重要なのは、大部分のデジタル絵本・物語本には、ホットスポット機能がついているという点である。ホットスポットとは、子どもが絵本や物語本をインタラクティブに楽しめることを意図した機能で、たとえば、犬のイラストをクリックすると、犬の鳴き声が聞こえてきたり、犬が動いたりするなどの機能である。一方、興味深いことに、辞書など、語彙の意味を提供する機能がついているものはごく少数だ。ゲーム機能が付加されたデジタル絵本・物語本も多い。表3－1は日本語のデジタル絵本・物語本をもとにした分析ではないが、ここでリストアップされた特徴は、基本的に多くの日本語のデジタル絵本にも見られるものだと推測してよいだろう。

†「読む」とはどういうことか

こうしたデジタル絵本・物語本は、本当に子どもたちの読む力の発達の助けになるのだろうか。その前にまず読むということが認知的にどういうことなのかを押さえておきたい。

従来の言語心理学の分野では、読むという力を大きく2つの能力からとらえてきた。一つは、文字をすばやく解読化（decoding）し、単語を認知する能力、もう一つはテクストから意味を構築する能力である。まず、目から文字情報が入ってきた時に、その言語の音韻や正書の規則にのっとり、どの語彙（意味）にあたるかを判断する必要がある。これが「単語レベルの読み」といわれるものである。しかし、これだけではテクストを理解したことにはならない。この上、文法や談話などの言語知識、さらには背景知識などの非言語的な知識を総動員して、テクストから意味を構築するプロセスがある。このプロセスにはテクストで実際には言及されていない情報を穴埋めしたり、推測したりする認知行為も含まれる。こうした一連の認知行為を総合したものが「読解」である。

ここから少し専門的な話になるが、視覚と聴覚を結びつけるマルチメディアの特徴と読みとの関係を理解するために、読みのプロセスに関して重要な点を、もう少しだけ詳しく見ておこう（この部分は、SNSに関する次章の理解にも必要な基礎知識になるので、押さえておいてほしい）。

意味にアクセスする前に音に変換？

子どもは日常生活の中で、多くの音声言語のインプットを得ながら、その言語では、どんな音が使われ、どんな音と音とが組み合わされているかなど、音韻システムへの気づき（これを音韻認識と呼ぶ）を深める。そして、どんな音の組み合わせが、どんな意味を持つのかを理解する。音と意味とのマッピングを行うことで、子どもは長期記憶の中に語彙（心的語彙などと呼ばれる）を蓄積していく。さらに生活の中で、言語音と一緒に文字にも徐々に触れていくことで、音と綴りとの関係も習得する。音、綴り、意味の総合マッピングは、心的語彙の量と質を向上させ、これが単語の認識、ひいては読解力に影響を及ぼしていくのである。

会話など、耳から入ってくる音声言語を処理するのに音韻認識が大切なのは理解しやすいが、音韻認識が読む時にも大切なのはなぜだろう。その理由を解明するのにいくつかのアプローチが提唱されているが、ここでは、一番よく知られている二重経路説を紹介しよう。二重経路説では、心的語彙にアクセスする方法として、視覚から入ってきた情報から直接意味にアクセスする方法（視覚符号化経路）と、いったん音韻情報に変換してから、意味にアクセスする方法（音韻符号化経路）の二つがあると考えられている。実は、二重経路説の中にもいろいろバリエーションがあるのだが、基本的な考え方を単純化すると図3－1のように表せる（Coltheart, 2005）。

英語圏を中心に進められてきた研究によると、読む際にも、大部分の場合は、この音韻符号化経路を経て心的語彙にアクセスしているという。読者の中には、文字を習いたての子どもが音読するのはわかるが、大人が黙読する際には音韻化などしていないと思う人も多いだろう。しかし、この音韻化のプロセスは、大人の場合は自動化しているので、無意識で行われているにすぎないのである。

でも、日本語ではどうなのだろう。アルファベットは音を表すが、漢字とは異なり、それ自体は意味を持たない。英語の読みなら音韻符号化も重要かもしれないが、漢字を使う中国語や日本語では違うのではないか。実は興味深いことに、読む際の音韻化のプロセスは、英語のようなアル

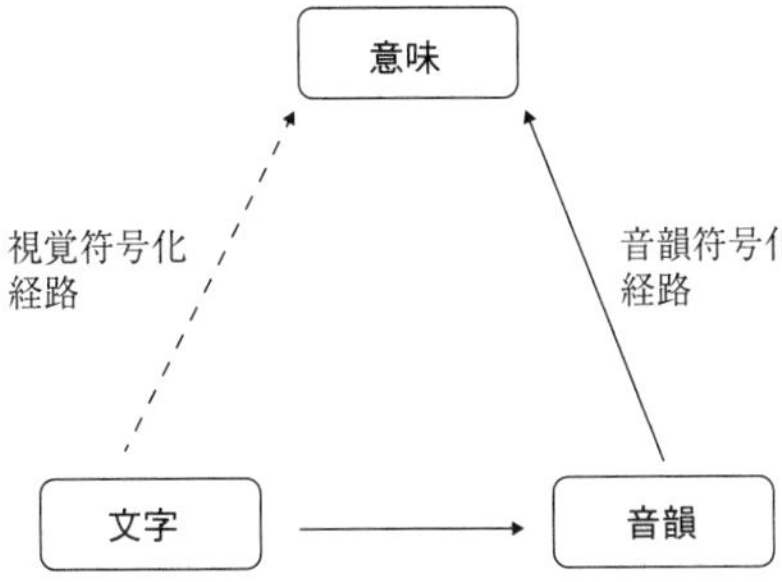

図3－1　意味へのアクセス・ルート

ファベットを使う言語だけでなく、中国語や日本語など漢字を使う言語でも、基本的にはあてはまるようなのである（日野2005）（ただ、日本語の場合、漢字と仮名を併用するため、事情が少し複雑になる）。だから読むためのステップとして、音と表記との関係を習得することが大切になってくる。

✝音と表記との関係

音と表記の関係は、言語によって違う。たとえば、英語のようなアルファベットを使う言語では、音素と呼ばれる単位への認識が重要である。音素という用語に馴染みがない読者でも、子音《しいん》とか母音《ぼいん》という言葉は聞いたことがあるだろう。音素は子音と母音に分かれる。つまり、子音と母音は音素の種類である。一方、日本語のひらがな・カタカナの読みではモーラ（拍）と呼ばれる音節に近い、少し大きい単位への認識が重要となる。ちなみに、音節は音素が一定の規則に従って形成された音の単位の一つで、私たち日本語話者が感覚的に一つの音の単位として感じているものだと考えてよい。

音素と音節の概念をすっきりさせるために、英語のケースをまず見てみよう。たとえば、子どもが big と pig の二つの単語を聞いたとしよう。図3－2で示したように、big も pig も1音節からなる単語で、それぞれオンセットと呼ばれる部分とライムと呼ばれる部分に

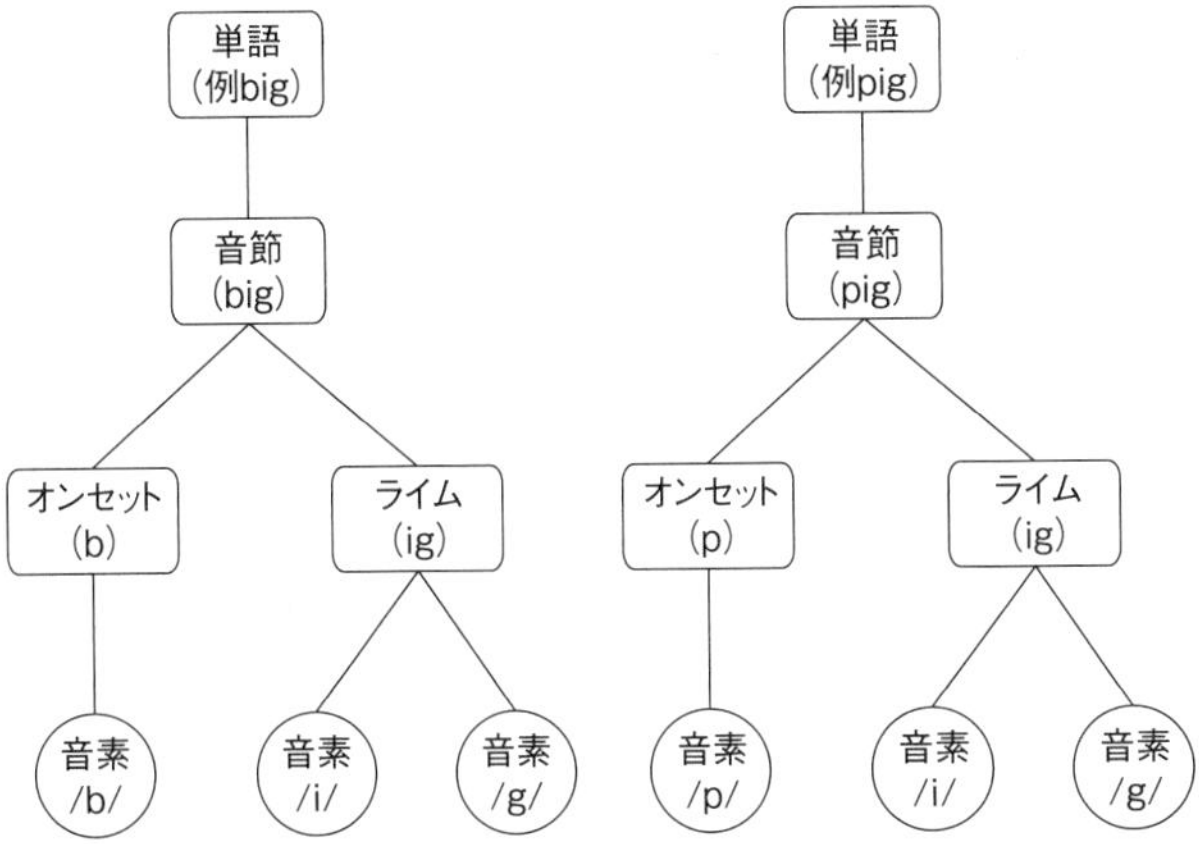

図3-2　英単語bigとpigの音韻構造

分けられる。オンセットは、音節内の母音の前にくる子音を指し、音節の残りの部分がライムだ。このbigとpigは、ライムの部分が同じで、最初のオンセットの部分/b/と/p/の音だけが違うことで、違う意味（単語）になっている。つまり、/b/と/p/の音をしっかり区別することがbigとpigを識別するために重要なのである。このようにその言語で意味の違いをもたらすような最小の音の単位を音素という。

英語圏の子どもの絵本や歌にはライムを踏んでいるものが多いが、それはライムを踏んだ絵本や歌に触れることで、音素への認識を促すことができるからである。表3－1で見たように、デジタル絵本・物語本で、文字にハイライトをしながら、その部分の音声を一緒に流す（読み上げる）ような機能がついているものは、子どもの音韻認識を高め、音と綴りとの関係性の理解の促進を狙っているものと考えられる。

†浅い表記と深い表記

一方、日本語の仮名《かな》（ひらがな・カタカナ）の場合はモーラ（拍）を基礎単位としている。モーラは、リズムやイントネーションなど音律的特徴に注目した時の単位で、音素の組み合わせである音節とは厳密にいうと同じではないのだが、ほぼ似たようなものと考えてよい。日本語の「ぶた」は2音節の単語で、「ぶ」と「た」という2つの仮名文字で表記される。日本語の仮名表記は、このように音節と文字が一対一で対応しているのが基本だ。例外は拗音《ようおん》・促音《そくおん》・撥音《はつおん》・長音《ちようおん》のケースで、たとえば、拗音の「おもちゃ」の「ちゃ」は一音節、1モーラだが、表記上は「や」を小さくして2文字で書く。こうした特殊音節の例外はあるものの、基本的には正書情報と音韻情報がかなり高い割合で一致しているので、日本語の仮名表記は正書深度（音と表記の不一致の度合い）が浅い表記（shallow orthography）だといわれる。

英語は音と綴りとの関係性が複雑で、正書情報と音韻情報の一致度が相対的に低いので、深い表記（deep orthography）といわれる。英語のアルファベットは26文字から成るが、英語は（二重母音といわれる特殊なものも含めて）43の音素を持つ。音素の数に比べて、文字の数が圧倒的に少ないのだ。そのため、ウルトラ技が必要となる。2つ以上の文字で同じ音を表したり（たとえば、sea, see, seize, ceiling, cease, sexy もアンダーラインを引いた部分は綴りは違うが発音は同じ）、同じ文字の組み合わせなのに違う発音を表したり（cough, ought, bough, dough, though, though でも ough の部分の発音はみな違う）など、（ある程度のルールはあるものの）複雑である。この複雑さは、フランス語や、ギリシャ語、ラテン語、ドイツ語などからの影響を受けた英語の歴史とも深く関わっている。ちなみに、先にでてきたヘブライ語も英語と同じく深い表記を持つ言語である。

一般に英語など深い表記を持つ言語を学ぶ子どもは、浅い表記を持つ言語を学ぶ子どもに比べて、音と表記の関係性を把握するのに時間がかかる。英語圏では、読みに問題を持つ子どもの多くが、まず、この音韻符号化のプロセスで躓《つまず》いてしまうといわれている。したがって、子どもが文字を見ながら、その発音を聞けるような機能のついているデジタル絵本・物語本は、読みの第一歩である音と文字との結びつきを体得するのに効果的だと期待されてきた。

一方、浅い表記を持つ言語では、音と文字との関係性の習得は比較的スムーズに進む。日本語の場合、多くの子どもたちが、小学校へ入学する以前に音と仮名とを結びつけることができるようになっている。しかし、日本語の表記は仮名だけではない。漢字は数も多いし、日本語の漢字は複数の発音を持つものが大部分を占めるので、その習得には長い時間がかかる。視覚的にも複雑で音との結びつきも複雑な漢字の習得には、マルチメディアは強みを発揮できそうだ。

†読解の複雑性

単語の読みは、読解のワンステップにすぎない。音韻認識の他にも、形態素認識や統語認識など、さまざまな言語的知識が必要になる。ちなみに形態素とは、意味の最小単位のことをさす。たとえば、teachers は教える意の teach と、その行為をする人という意の -er と、複数を意味する -s の3つの形態素からなっている。日本語の「お水」は丁寧な意を表す「お」と「水」に分けられ、「書いた」は行為を表す「書い（書く）」に過去を表す「た」がついている。また、統語とは、平たくいうと文法のことである。

さらに文と文とのつながりに関する知識を談話知識という。「しかし」という接続詞の後には、前の文とは反対の内容が続く。「それ」「この」といった指示詞のさしている内容をしっかり把握しておかないと、次にくる文の内容がきちんと理解できなくなる。テクスト上に書かれていないことを推測するには、適切な背景知識を使ったり、因果関係などを理解するための認知力も不可欠である。さらに、自分の読みのプロセスをモニタリングするなどのメタ認知能力も養う必要がある。このように「読解」は非常に認知的に複雑な行為だと考えられる。

2　デジタル絵本・物語本と「読む力」

†デジタル絵本・物語本は「読む力」を助けるのか？

読みの仕組みが非常に複雑な認知プロセスであることはわかったが、では、デジタル絵本・物語本は、果たして子どもの読む力の向上に役立つのだろうか？

イラストや音声を絵本にドッキングさせると読解によいのかという議論は、実はもう100年以上前からあった。1900年代初頭にすでに、オランダの教育者の間では、イラストは子どもの想像力の発達にマイナスに働くのではという懸念や、ナレーションとイラストが両方あると注意が散漫になるので、どちらか片方にしたほうがよいのではないかとの意見も出されていた（Bus et al., 2019）。100年経った今、私たちは、文字、イラスト、音声など複数の感覚を組み合わせた絵本・物語の効果について、どれほどわかっているのだろうか。

欧米では、幼稚園から小学校5年生までを対象としたデジタル絵本・物語本の「読む」力への影響を調べた実証研究をまとめた研究（メタ分析）が複数出されている。こうしたメタ分析によると、まず音韻認識、文字知識、単語の読みのレベルに関しては、予想に反して、デジタルと紙の媒体の差はないとする結果がでている（Takacs et al., 2015）。深い表記を持つ英語などのケースであまり効果がないとすると、ナレーションに呼応する部分のテクストがハイライトされるような解読のプロセス促進を目指した機能は、日本語の仮名のような浅い表記体系の場合、それほど効果的であるとは考えられない。

ただ、日本での研究で、ナレーションとハイライト機能のついたデジタル絵本を使った4歳児が、紙媒体の本の時と比べて、多くの仮名を学習したという研究報告もないわけではない（Masataka, 2014）。同報告は3歳では違いがなかったとしているので、効果のほどは、対象となる子どもの年齢によっても左右されるのだろう。

一方、ストーリー理解への効果に関しては、デジタル絵本・物語本はプラスになるとする研究が多いものの、紙媒体の絵本・物語本と比べた際の効果のほど（統計学では「効果量」といって、効果のほどを数値化することができる）は平均するとそれほど高くはない（Zucker et al., 2009）。何らかの効果があったとする研究が多いものの、効果がなかった、またはマイナスだったとする研究も少なくないからである。

†どのような内容・条件が効果的なのか

どのような内容のデジタル絵本・物語が、どんな条件で読まれると読みに効果的なのかを考えるにあたって、参考になる理論がある。メイヤーのCTML（Cognitive Theory of Multimedia Learning, マルチメディア学習の認知理論）と呼ばれるものだ（Mayer, 2005）。CTMLによれば、どんなメディアを指導に使うにしても、それが学習に効果を発揮するには、人間の情報プロセスの仕組みにそったものでなければならないという。

ここで大切な3つのポイントがある。まず一つ目のポイントは、視覚と聴覚の情報を一緒に処理するほうが、視覚と聴覚の情報を別々に処理するより、記憶などの認知活動結果が促進されるという点だ。この理論に基づけば、デジタル絵本・物語本などのマルチメディアの書籍は、この点に関しては、強みを発揮するはずである。

しかし、2つ目のポイント、人間が一度に処理できる作業記憶（working memory）には限度があるという点に注意しなくてはいけない。作業記憶とは、学習などの認知作業を行う際に、情報を一時的に保持してそこで処理を行う記憶のシステムのことをいう。たとえば読解を行うには、認識した単語を一時的に保持したままで、文の解析や意味の構築を行ったりしなくてはならない。こうした作業を行う容量には制限があり、特に子どもの場合は発達途上にあるので、彼らの作業記憶の容量を超えてしまわないようにしなくてはいけない。

そして3つ目のポイントは、学習の効率を上げるには、集中するなど、積極的に情報処理のプロセスに取り組むことが大切だという点である。

この3つのポイントに留意しながら、メタ分析の結果を見てみよう。まず、効果のほどを左右する条件として、絵やイラストがストーリーの内容と一致しているかが挙げられる。最近では、カメラ機能を使って、絵・イラストの一部を拡大したり、動かしたりすることで、子どもの注意をストーリーの進行に合わせてうまく誘導するような機能がついているものもあり、効果的であるとされている。しかし、逆に、絵やイラストがストーリーにあまり合致していなかったり、ストーリー進行と直接関係のない細部に子どもの注意がいってしまったりするようなつくりになっていると、読解にマイナスに働く。ストーリー理解から、注意がそれてしまうからだ。これでは、複数の感覚情報を同期することで得られるはずのメリットを得られない。

音響効果やバックグラウンド音楽も同様で、読解を高める場合もあれば、損ねることもあるようだ。音響効果がどれほどストーリー内容に合致しているかが重要なのだろう。ただ、幼稚園児の間で行った研究では、（実証研究の蓄積はまだ不十分なものの）どちらかというと、マイナスに働くケースが多いようである。音響効果やバックグラウンド音楽は、幼少の子どもの注意をひくのに効果的だが、逆にストーリーの理解に集中することを妨げてしまうようだ。これも、子どもの認知処理能力とのバランスの問題だといえるだろう。

さらに注意したいのが、ホットスポット（クリックするとアニメーションがでてくること）やゲームの機能だ。こうした機能は、子どもの興味を惹くメリットがあるが、実はストーリー理解にはマイナスに働く傾向が強い。幼稚園児がどのようにホットスポットを使っているかを調べた研究では、ホットスポットの使用頻度には個人差が大きいが、使われる場合は、子どもの注意を惹き、紙媒体で読む時と比べて、読みながらの子どもの発話の量も多かったという（Piotrowski & Krcmar, 2017）。

ただ、発話の内容に注意してみると、ストーリーの内容にそうものよりも、むしろテクノロジー機能に関することなど、ストーリー内容とは関係のないことに対して行われることが多くなる傾向がある。ストーリー内容から外れた発話を誘導しやすいようなホットスポットは、子どもに興味は持ってもらえても、肝心のストーリー理解の助けにはならない。同様に、デジタル絵本に付随したゲームも、子どもの興味を惹くものの、ストーリー理解にはかえってマイナスに働くことが多い。

†さまざまな機能がプラスに働く場合

もちろん、デジタル絵本・物語本の持つさまざまな機能は、子どもによっては大いにプラスに働くこともある。欧米では、学習障害を起こすリスクの高い子どもの間では、デジタル絵本・物語本は、音韻認識・文字認識の向上およびストーリー理解に役立つとして関心を集めている。学習障害の要因は多岐にわたるが、記憶や注意、視覚や聴覚障害、メタ認知能力などに問題を抱えているケースが多い。デジタル絵本・物語本の機能が、学習障害を引き起こす要因の補強にうまくマッチする形になっていると、良い結果をもたらすようだ（Shamir & Shlafer, 2011）。

移民の子どもたちなど、母語以外の言語で学校教育を受けている子どもたち（第二言語学習児童）の間でも、同様のメリットがあるといわれている（Zucker et al., 2009）。すでに見てきたように、言語によって音と表記との関係は異なる。母語と第二言語との組み合わせにもよるが、第二言語で読みを行うには、母語とは違う音と表記の関係をマスターしなくてはいけない。

たとえば、日本語の読みに慣れた子どもは、日本語の表記体制がモーラ（音節に近いもの）を単位としているので、英語などアルファベットを使う言語の読みを習う際には、音素を単位とした音韻認識を発達させなくてはならない。そのため、第二言語で読みを習う子どもたちにとっては、デジタル絵本・物語本についているナレーションとハイライトが合致したような機能は、有効な手助けになり得るのだろう。音韻符号処理がスムーズに進むようになれば、その分の認知資源を構文・談話構造の分析やストーリー理解にまわせることにつながる。対話的なやりとりが可能であること（ナレーターやストーリーのキャラクターが語の定義をしてくれたり、いろいろな質問を投げかけてくれるなどの機能）は特に第二言語学習児童には助けになるようだ。また、自分に合ったペースで、繰り返しナレーションを聞きながらテクストを追えたり、即座にフィードバックを得られるような機能も有効だと考えられている。

ただ、英語のデジタル絵本が、日本語を話す子どもの外国語としての英語の読みにどれくらい有効なのかは、実証研究の蓄積がないので今のところ不明である。対象言語が外国語という環境では、移民の子どもなどが置かれている第二言語環境と違って、ターゲットになる言語を聞く機会が通常は圧倒的に少ない。

実は、日本に住む子ども（日本語だけを話す子ども）は、英語圏の子どもに比べて音素の認識が遅れることが知られている。日本語表記は音素を基本単位としていないので（すでに触れたように、日本語はモーラが基本単位）、これは当然の結果ともいえる。一方、英語の表記は音素が基本単位なので、英語の「読み」を行う際、音素認識を発達させることが重要だ。それには、音の蓄積が大事となる。つまり、英語をたくさん聞いている必要がある。日本で英語のデジタル絵本・物語本を子どもに与える時、英語の音の蓄積が不十分な場合には、音韻認識の向上にどれだけ役立つかはわからない。ただ、絵本の内容によっては異文化への興味を養う効果はあるかもしれない。

まとめると、デジタル絵本・物語本は、そこに内在されている機能が、子どもの年齢やその認知能力にマッチしていれば、母語の読解に効果的に使えるといえるだろう。では、何でもデジタル化が進む昨今、そろそろ紙の絵本は廃棄して、デジタル絵本に切り替えたほうがいいのだろうか。

3　デジタルと紙の違い

†紙の絵本を捨てるのは待った！

デジタル絵本・物語本は最近では種類も増え、無料で入手できるものもあり、保護者の間では人気が上昇している。紙の本のように場所もとらないし、整理もしやすい。子どもも楽しんでいるように見える。

こうした人気に「待った」をかけるように、アメリカではここ数年、紙の絵本の良さを見直そうという動きもでている。リアルの良さへの見直しが起こっている。ただし、単なるノスタルジーではなく、科学的な根拠に基づいての人気だ。実証研究によると、紙の絵本を保護者と一緒に読んだほうが、デジタル絵本を一人で読むより読解が進むことが示されている。これは、第2章を読んできた読者には、それほど想像に難くない結果だろう。デジタル絵本は、どんなに優秀な対話的機能をつけても、（少なくとも今の段階では）人間の代わりにはならないのだ。

本当に面白いのはここからだ。実は、デジタル絵本・物語本を保護者と一緒に読んでも、紙の本を一緒に読んだ時ほど、好結果がでないようなのだ。クリクマールとシンゲルによると、保護者は紙の本を読んだ時のほうが、子どもに多く話しかける。また、話す内容も、デジタル絵本・物語本と比べ、ストーリーの内容を確認したり、コメントするような読解に直結するものが多い。一方、デジタル絵本・物語本の場合は、デジタル本のフォーマットや機能など、ストーリーに関係しないようなコメントが多くなる。このようなインタラクションの質と量の違いが、紙の本での親子のジョイント・リーディング（一緒に読むこと）の読解が高かったことの一つの要因であると考えられている（Krcmar & Cingel, 2014）。

さらに興味深いことには、子どものデジタル経験の差は、紙の絵本を読んだ時にはでてこないが、デジタル絵本を読んだ時には現れる。感覚的には、普段、デジタルの絵本に親しんでいる子どものほうが、デジタル絵本での読解が進みそうに思える。しかし研究報告では、それとは逆の結果がでている。なんと、デジタル経験の豊富な子どものほうが経験の少ない子どもより、デジタル絵本を読んだ時の読解力が下がる傾向があるという。同様の結果は、他の研究者からも報告されている（Reich et al., 2019）。ただ、どうしてこのような結果になるのかは、よくわかっていない。

クリクマールとシンゲルは、デジタル機器に慣れている子どもは、ゲーム感覚でタスクに取り組みやすく、ストーリーの理解に集中しにくくなってしまうのではないかと推測している。目新しさの役割を唱える研究者もいる（Reich et al., 2019）。デジタルの諸機能も、慣れてしまうと目新しさがなくなり、効果が薄くなるのではないかというのである。いずれにせよ、こうした推測が正しいのかは、今後の研究の結果を待つ必要がある。

†デジタル媒体と紙媒体で「読み」は違うのか

ここまで、読みを覚えたての幼少の子どもたちが、デジタル絵本・物語を読んだ時の読解への影響について見てきた。ではもう少し年長の子どもたちや大学生などはどうなのだろう。ある程度読みの基本的なスキルを身につけた子どもたちや大学生が、デジタル・スクリーン上で読みを行う時の読解は、紙の上で行う時とは異なるのだろうか。

小学生以上の子どもたちや大学生の読みの能力を測る実証研究では、測定対象が、音韻認識・文字認識などの単語の読みのレベルを離れ、意味構築に比重が移る。ストーリーの大まかな内容を追えたかどうかの確認といった形のものから、書かれている内容を再生（つまり記憶の測定）したり、推測や分析を行う力（テクストの異なる場所で語られている内容を結びつけたり、背景知識を使って、直接言及されていない部分の埋め合わせをする等）などが「読み」を測定する方法として使われている。テクストも物語文だけでなく、説明文やニュースなどジャンルも広がる。さらに、読みの速度（処理能力）や、読み手による自らの読みの出来具合の評価なども指標として使われている。読み手の判断と実際の読解の差が大きいと（つまり自分の読解力を正確に判断できないと）、その後の学習の妨げになるリスクが高いと考えられているからである。

デジタルでの読みと紙の読みでの読解の違いを調べた研究を分析したメタ分析は、欧米では1990年代のはじめから、いくつか行われている。たとえば1992年のディロンによるメタ分析では、スクリーン上の読みは目を疲れさせ、スピードも遅くなると報告している（Dillon, 1992）。しかし、この30年の間にテクノロジーは進化をとげ、目への負担はずいぶん軽減されたはずだ。また、我々が対象としているデジタル世代は、生まれた時からデジタル機器に囲まれている世代である。今では違う結果がでる可能性がある。

最近行われたいくつかのメタ分析（Clinon, 2019; Singer & Alexander, 2017）によると、読解に関しては、基本的に紙媒体の読みとデジタル上の読みの違いはないという。しかし、細かく見てみると、条件によっては違いがでてくるものがあることがわかる。まず、物語などのフィクションでは、どちらの媒体による読みでも差が見られないが、説明文などの読みに関しては、紙の読みに軍配が上がるようだ。内容を正確に把握するようなことを要求される読みに関しては、どうも紙で読んだほうが、読解結果が良さそうなのである。

また、テクストの長さによっても違いがでている。英語の場合、500語以下の短文の場合は、デジタルも紙の媒体の場合も違いがでないが、500語以上の長いテクストになると、紙で読んだほうが読解力が高まる。デジタル・スクリーンにおさまりきらない長さのテクストは、スクロールしなくてはならない。このスクロールという行為が、どうやら読解にマイナスに働くようだ（紙では、1ページ以上にまたがるテクストをスクロールせずに同時に見れることがメリットになっているらしい）。

同様に、テクストからざっくりと要点を理解するタスクにおいては、デジタル媒体での読みでも紙上の読みでも差はないが、テクストに書いてある細部の情報を記憶したり、推測しながら読む力においては、紙媒体での読みのほうがパフォーマンスが良い傾向があるという。この傾向は、大学生だけでなく、子ども（小学生）にもあてはまる。

さらに、読み手は自分の読みの力を過大評価する傾向があるが、その差は紙媒体での読みのほうが、デジタル媒体での読みより小さい。つまり、紙媒体での読みのほうが、より正確に自分の読みの出来具合を予測できているということになる。過大評価の度合いが強いと、読みの努力を怠ったり、注意が散漫になったりして、読解にマイナスに影響する可能性が高くなると考えられている。

読みのスピードに関しては、全体的にはデジタル媒体での読みと紙媒体での読みには差がない。これは、情報処理プロセスの効率性には違いがないことを示していると解釈できる。ただ、詳しく見てみると、テクストだけしかない場合は、紙での読みのほうが時間がかかる。一方、グラフやイラストなど他の視覚情報が付随している場合には、デジタル媒体での読みのほうが紙媒体での読みより遅くなる傾向がある。視覚情報とテクストの情報処理プロセスは異なり、その両者を合致させて意味構築をするプロセスは、デジタル媒体と紙媒体とでは違う可能性を示唆しているわけだ。しかし、どのように違うのか、なぜ違うのかなどに関しては、まだよくわかっていない。

†デジタル・デザインの視点から「読み」を考える

　このようにメタ分析の結果を見る限り、この30年の間に紙媒体での読みとデジタル媒体での読みとの間が少し縮まってきたようだ。この背景には、デジタル・デザインが、紙媒体での読みの特徴を組み込む努力をしてきた経過があると思われる。この点で、デジタル・デザインの立場から2005年にマーシャルによって書かれた紙媒体での読みの分析は示唆に富む（Marshall, 2005）。2005年といえば、アメリカでも電子書籍やデジタル教科書が急速に普及し始めた時期である。その時点で彼女は紙媒体での読みの特徴を分析することで、何をデジタル媒体での読みにデザインしていくべきなのかを考えたのである。

　マーシャルによると、読みには4つの特徴がある。まず一つ目は、移動性である。実は読むという行為は非常に移動性を持ったものだという。確かに本はどこにでも持ち運びが便利で、読むという行為は場所を選ばない。人は通勤・通学の途中や旅行の時に読む行為をよく行う。2001年にマーシャルが行った調査では、当時、コンピューターのデジタル・ファイルを印刷して読むと答えた人の90％近くが、どこでも好きなところ、または必要な場所（会議室など）に持っていけることをその理由に挙げたという。デスクトップのコンピューターの前に拘束されないことが重要だったのだ。この問題は、小型のラップトップ、タブレット、そしてスマートフォンの普及で解決されることになる。

読みの二つ目の特徴は、紙の媒体の持つ質感である。身体性といいかえてもいい。ページをめくった時の紙の感触や、何ページぐらいある本で、どれくらい読み進めたかなど、本の物理性を視覚的・触覚的に感じることである。「あのセリフは、本を三分の一ほど読み進めたあたりの、ページの左上のほうだった」などという記憶は読者もあるだろう。こうした読みに関わる空間記憶のようなものは、スクロールで流動するデジタル・テクストより、空間が固定されている紙の上での読みのほうが定着度が高い。これは非常に重要な点だ。最近では、ページ数を表示したり、ブックマーク機能をつけたりした電子書籍も多くなってきたが、それでも、なかなか物理的な本とは同じ感覚・記憶を持てないようなのである。一部の電子書籍では、実際の本のページのようなレイアウトにするなど、さまざまな工夫がされているが、この物理性・身体性はデジタル・デザイン上の大きな課題であろう。結局、本は情報であると同時にモノなのだ（少なくとも今のところは）。

三つ目の特徴は、対話性（インタラクティブさ）である。私たちはテクストを読む時、しばしば重要な部分や心に残った部分にアンダーラインをひいたり、ハイライトしてみたり、丸で囲ったりする。また、疑問に思う箇所にクエスチョン・マークをつけてみたり、余白にメモを残したりする。こうした行為は、テクストとの対話と考えてもいい。このような対話をテクストと行うことは、特に学習の場面などでは、批判的な思考（クリティカル・シンキングといわれるもの）を培《つちか》うために、非常に重要だと考えられている。マーシャルの聞き込み調査によると、こうしたテクストとの対話を行う際に、ペンの形でできることが大切らしい。最近のデジタル・テクストや電子書籍には、ハイライトをしたり、メモをつけたりする機能がついているが、マウスやタッチパネルでの操作は、ペンでの操作とは同じではないらしい。

最後の特徴は、共有（シェアリング）である。「読む」は、個人の行為のような印象を持っている人が多いかもしれないが、本来はかなり社会性のある行為であることが指摘されている。そもそもどんな本やテクストを読むかの選択も、その人が属している社会やコミュニティーの影響を大きく受ける。小学校の国語の授業で、クラス一斉に音読することをはじめ、実は私たちは多くの場面で、他人と読みを共有している。面白かった本を友達に貸すのもその一つだ。教員なら、子どもたちが、コンピューター・ルームで一人一台ずつパソコンがあるにもかかわらず、わざわざ1台の前に2、3人が集まって、一緒に画面を見ているなどという光景をよく見かけるだろう。デジタル・テクストでは、複数の友だちとファイルを共有したり、お互いのコメントを見えるようにするなど、人と人とを双方向でつなぐツール機能が発展してきた。

†テクストは目だけでなく、手で読む？

このように、マーシャルの指摘する4つの読みの特徴は、デジタル上での読みの可能性と課題を明確化し、デジタル・デザインの進化の中で活かされてきた。紙とデジタル媒体での読みの差が縮まってきた要因の一つだ。

ただ、本の持つ物理性・身体性のメリットはなかなかハードルが高い。特に1ページにおさまりきらない長さのテクストで、テクスト内の異なるページを移動したり、パラパラとページをめくってみたり、複数のテクストの必要なところを読み比べたりなどという行為を行う際には、現在のテクノロジー技術をもっても、紙媒体の優位性が浮きでてくる。柴田と大村が行った一連の実験では、デジタル媒体では、紙の媒体と比べ、マウスやタッチパネル等での操作に認知負荷が多くかかり、その結果、本来の認知活動（読解）への集中が途切れ、効率が落ちることが示されている（柴田・大村2018）。

たとえば、デジタル媒体で読む時には、ページをめくるのに、画面の端をタップしたり、スワイプしたりする必要があるが、人はページをすべて読み終わってから、そうした操作に取りかかる。視線もその際、テクストから一時離れる。一方、紙の媒体で読んでいる時は、人は無意識のうちに、ページを読み終わる前にすでにページめくりを始めているという。ページをつかんで効率よくめくれるよう準備していたり、文書末の注釈などがある場合には、もとのページにすぐ戻れるように、あらかじめ指を挟んでいたりする。柴田と大村の実験では、特定のページに戻るためにかかった時間は、紙媒体での読みではパソコン上での読みに比べて36・5％早く、タブレット上での読みに比べて38・6％早かった。

さらに興味深いことに、人が紙のテクストを読んでいる時、紙を持つ手の位置を詳しく観察してみると、往々にして手の位置は、その時読んでいる行の位置と一致していた。つまり、手の位置が、読みの視線を誘導する役割を果たしていたのである。こうした手の役割が、認知資源の有効な使い方につながっている。私たちは、テクストを読む時、目だけでなく、手で読んでいたのである。

マーシャルのいう対話性も、実は物理性・身体性と深く関係している。私たちは読む際に、しばしば無意識に、単語や文を指やペンなどで指し示したり（ポインティング）、なぞったりしている。柴田・大村の実験によると、誤字脱字などの校正をしてもらうタスクをしてもらった時には、紙媒体ではポインティングやなぞりがデジタル媒体での読みより多く、誤字脱字を検出できた割合も高い。校正作業の中でも、誤字脱字といった比較的表面的な読みでできるものではなく、意味や文脈のつながりのチェックなど、深い読みを要求する校正では、紙とデジタルのパフォーマンスの違いがさらに広がるという。面白いことに、紙媒体での読みでも、ポインティングやなぞりができないように制限をかけると、校正のパフォーマンスが落ちる。

さらに、横書きの紙媒体のテクストに書き込みをしたり、テクストをなぞったりする時の様子を観察すると、多くの人はテクストを水平ではなく、少し傾けてこのような行為を行っているという。読みのスピードと理解のパフォーマンスが一番良いのは、右利きの人の場合は、時計反対回りに5度程度テクストを傾けた場合で、左利きの場合は、その逆方向になる。

柴田・大村は、読みのパフォーマンスを上げるために、私たちは目よりも手の動きの適合を重視していると言っている。つまり、目にとっては水平でなくても、テクストと対話をしやすいよう、手による操作の使いやすさが優先されるというのだ。同じ結果は英語のテクストを読んだ時にも見られたことから、柴田・大村は、手で扱いやすいように文書を傾ける行為は、言語の種類に依存するものではなく、手の動かし方に依存するものだと言っている。ここでも読みの身体性が強く支持されているといえるだろう。

†紙媒体はペアワークでのアイコンタクトを促進

紙媒体の持つ身体性は、空間を共有するペアやグループが、一緒に仕事をする際のコミュニケーションの促進にも貢献するようだ。柴田・大村の実験では、2人1組の被験者が同じ机に座ってそれぞれテクストを読み、話し合いながら旅行プランを立てるというタスクを行った（柴田・大村2018）。タスクは、紙媒体、タブレット端末、ノートパソコンの3つの媒体で行った。その結果、発話量は紙媒体で行ったほうがタブレット端末、ノートパソコンを使った時より多かった。

コミュニケーションを促進すると思われる「それ」や「あれ」といった指示代名詞の使用頻度や、アイコンタクトを行う頻度も、紙媒体を使いながらタスクを行った時のほうが高かった。指示代名詞の使用頻度は、紙媒体では、タブレットより35・7％ほど多く、ノートパソコンより74・5％高かった。アイコンタクトに至っては、紙媒体の時の頻度は、タブレットより93・8％、ノートパソコンよりも124・3％高かった。つまり、ほぼ倍の頻度であった。

紙媒体では、紙を持ち上げて相手に見せたり、相手のテクストを指さしたりすることが多く、これが指示代名詞の多用につながったと思われる。また、デジタル機器を使った時は、下を向いてしまうことが多かったのに対し、紙媒体の時は、紙を持ち上げることで、アイコンタクトがしやすいことにつながったようだ。

すでに見てきたように、デジタル機器を操作する際の認知負荷の大きさも、2人の間のコミュニケーションにマイナスに働いたと考えられる。デジタル上でページの操作をしたりすることに認知資源を使い、相手とのコミュニケーションに向ける認知資源量が少なくなってしまったらしい。もちろん、今後の技術進歩で、デジタル機器の操作による認知負荷が軽減されることは十分に考えられる。ただ、今のところは技術的に、紙が持つ物理的な特性や、それをもとにした身体的経験をデジタルで完全に再現することが難しいようだ。

†現実のデジタル媒体での「読み」はもっと複雑

ただ、いままでの議論は、デジタル媒体と紙媒体で、同じテクストを読んだ時に違いがあるかという話であった。しかし、多くの場合、現実は実験室での結果ほど単純ではない。デジタル媒体での読みでは、通常、ハイパーリンク（テクスト内に埋め込まれた語やフレーズなどをクリックすると、テクストの別の部分や違うテクストに移動することができるもの）などの機能のおかげで、インターネット上の膨大な情報に次から次へと簡単にアクセスできる。デジタル空間では、マルチメディアの特性を活かして、テクスト情報だけでなく、アニメーションや動画、音楽など、マルチモダル（複数感覚様式）の情報が混在している。

デジタル機器を使ってグループワークを行う時も、さまざまなマルチメディア機能と、それによってアクセスできる膨大な情報の活用を期待している場合が多い。また、メンバーが空間を共有できる時より、むしろできない時にデジタル機器を積極的に使うことが多いだろう。新型コロナウイルスの感染拡大以降、テレワークやオンライン授業に頼る人たちが増えたのも、その一例だ。デジタル上では、他人とファイルをシンクロナイズ（同時に修正したりして同化する）などが簡単にできる。

確かにデジタル機器が持っている膨大な、そしてマルチモダルでアクセス可能な情報は、非常に魅力的だ。ひと昔前までは、図書館の閲覧室で何時間もかけてやっと探し当てたような情報も、インターネット上で瞬時に見つけ出すことができる。ハイパーリンクで、関連する情報にもクリック一つでアクセスできる。しかし、このような便利な機能も、いつも有効に働くとは限らない。どのような条件で、どのような目的で、どのような対象（つまり誰）が使うかによって、有益にも害にもなりうる。

†ハイパーリンクの利点と落とし穴

ハイパーリンクは、アクティブな読みを可能にするとして、教育関係者の間でも、期待が高い。生徒が自主的に関連する情報を得ることで、裾野の広い、深い学習ができるとの期待だ。しかし、ハイパーリンクは、別のテクストへ移ることで、もとのテクストの流れを一時中断させてしまうことも忘れてはならない。つまり、読みのフロー（流れ）を妨げる要因ともなりうるのだ。

ハイパーリンクのないテクスト（線形テクストなどという）とハイパーリンクつきのテクストの読みを比較した場合、読解力とナビゲーション（テクストの中から特定の単語や内容を探し出す）効率では、一般に、ハイパーリンクのない線形テクストを読んだ時のほうがパフォーマンスが高い。また、リンクの数も多いと、読むのに時間がかかり、理解度が低下することが知られている（DeStefano & LeFerve, 2007）。ハイパーリンクは別の色がついていたりして、読者の注意をひく。自由にハイパーリンクにアクセスできるとなると、読者はどのリンクにどれくらいアクセスするかを決めなくてはならない。自由に決定できることは、自主的な読みにもつながるが、同時にそれだけ多くの認知資源を消費しなくてはならないのである。

また、ハイパーリンクと一口に言っても、構造上、いろいろなタイプがある。主なものとして、階層型ハイパーリンクとネットワーク型ハイパーリンクがよく知られている。階層型とは、ハイパーリンクでつながった情報（ノード）が、高次から低次へと階層をなしてつながっている場合である。一方、ネットワーク型は、そのような階層をなしていない場合をさす。

階層型ハイパーリンクは、テクスト全体の構造を明確化し、読解の助けとなりうる。一方、ネットワーク型のハイパーリンクは、認知的負荷がかかり、特に言語の作業記憶の少ない読者にとっては、読解の妨げになる可能性が高い（DeStefano & LeFerve, 2007）。認知発達途上にある小学生を対象としたある研究では、階層型のハイパーリンクを操作して（下位概念の説明を読ませた後でないと、上位の概念を説明したテクストにアクセスできないようにする）、テクストの構造を明確化することで、読解力を上げることができたという（Paolucci, 1998）。

ハイパーリンクは、その認知使用コストが、個人の認知資源の限度におさまっている限りは、便利なツールとして、自主的な読みを促進する。しかし、限度を超えると、マイナスに作用する。個々の読者の認知資源との兼ね合いを見極める必要があるといえる。

ハイパーリンク以外にも、私たちがデジタル上でテクストを読む際には、さまざまな視覚情報がテクストと一緒に提供されていることが多い。テクストにグラフやイラストなどの視覚情報が付随している場合には、テクストだけの場合と比べて、読みの効率性やプロセスが違う可能性がある話を前にしたが、こうした場合も、どんな視覚情報がどれほど提供されるかによって、結果に違いがでてくることが考えられる。

一般には、テクストに付随する図、表、地図、写真、イラストなどの視覚情報は、テクスト理解を促進するものとして、紙、デジタルの媒体を問わず、教科書や副読本などでも多用されてきた。図などの視覚情報があると、確かにテクストだけの場合より、読解力が上がるという研究報告はたくさんある。テクストによって構築された表象と、図などの視覚情報に基づいて作られた表象を相互に補うことで、認知資源を効率的に使い、読解を高めることにつながると考えられている。

ただ、今までの紙媒体では、こうした視覚情報が、テクストによる意味構築を補う形で提供されていたケースが多いのだが、デジタル媒体では、視覚その他のマルチモダル情報のインパクトが強くなるケースが少なくない。美しいカラーの写真や動画など、インパクトの強い情報が主流になってくると、言語テクスト情報が付随的・周辺的な役割に転じ、読者の注意が言語情報ではなく、非言語情報に惹きつけられる。その結果、非言語情報に強く支配された、視覚・聴覚・言語情報が合わさった表象が作られる。こうした表象をもとに構築される「意味」は、個人差も大きく、テクスト情報だけに基づいたものとは、かなり異なったものになる可能性がある（Hillesund, 2010）。さらに、オンラインサイトによっては、テクスト内容とまったく関係のない視覚情報（広告など）が提示されているケースも少なくない。こうした関係のない視覚情報による影響にも個人差がある。

4　どう使うのがいいのか

†使いわけの大切さ

普段から仕事上、テクストを多く読む人たち（作家、研究者、編集者など）を対象にした研究によると、このような読みの達人たちは、紙媒体、デジタル媒体のそれぞれの特徴を把握した上で、目的に応じて、両者を使いわけ、それぞれ有効なストラテジーを身につけていることがわかる。たとえば、ある現象の大まかな傾向をつかみたい時には、デジタル媒体でヘッドラインや写真をとばし見し、詳細な情報を正確に得たい時には、プリントアウトして、他情報へのリンクがあえてできない状況を作り、テクスト情報の理解に集中するなどである。こうした達人は、紙媒体、デジタル媒体の持つ特徴を有意義に利用して、情報を効率的に選別し、正確に理解し、知識として蓄えている（Hillesund, 2010）。

しかし、このような使い分けやストラテジーを構築できないまま、情報過多のデジタル環境に放置されたままになっていると、必要な情報を正確にとらえることが難しくなる可能性がある。非言語情報に大きく頼った情報処理の仕方ばかりしていると、学校教育の場で求められるように、テクスト情報だけから意味を構築したり、テクストと非言語情報とを相互的に使いながら正確に意味を構築することが難しくなる。非言語イメージに大きく支配された表象は、「自己完結的」と記されることがあるように、多様な解釈を生み、創造性に貢献する一方、科学概念の理解など、意味の構築に正確さを求められる際には、問題となる可能性がある（Hillesund, 2010）。

アイ・トラッキングを使って、「読み」の際の視線の動きを調べた研究からは、読解力の高い人と低い人では、読みのプロセスに違いがあることがわかってきた。読解力の高い人は、テクスト全体にまんべんなく目を通し、効率的にスキミングすることがうまい。そしてキーワードなど重要な部分を少しの間注視する（fixation）一方、関係のない部分はさっと流す傾向にある。つまり、メリハリのあるプロセスをとっているのである。さらに、読解力の高い読み手は、テクストに視覚情報がついている時も、テクスト情報の理解を促進するような部分には注意を向けるが、そうでない視覚情報は無視する。一方、読解力の低い読み手は、テクスト全体のスキミングがうまくできず、メリハリのあるプロセスを行えない。重要度にかかわらず、一語一語長く注視したり、テクスト以外の視覚情報も、有効に取捨選択して使えない傾向がある。

図3－3は、パラチャらが、日本の大学院生に英語で5分間読みを行ってもらった時の、

ヒートマップである。ヒートマップは、どこに視線がいったか、集中していたかを示すものだ。パラチャらの研究では、テクストだけの条件、テクストとイメージがある条件、イメージだけの条件の3条件で、英語の読みの熟達度の高い学生と低い学生のグループの視線の動きを比較した。

図3-3からもわかるように、熟達度の高い学生は、まんべんなくテクストとイメージの両方を見ているが、熟達度の低い学生は一部の情報だけに視線を向けている。パラチャらによると、読みの熟達度の低い学生は、非常に少ない情報量で満足してしまう傾向があるという。なぜなら、十分な情報を得ようとするには、テクストをさらに読まねばならないが、それは認知的に大変でもあり、時間もかかるからだ。情報過多のデジタル環境では、読解力の低い学生は、能動的に情報の取捨選択をするのではなく、たまたま目にした少ない情報だけで満足してしまうことが起こりやすい。パラチャらの研究は外国語での読みで行われた研究だが、同じ傾向は、母語でもあてはまる。

マルチメディアでの読みがますます普及していく中で、その利点を有効活用できる子どもたちがいる一方、テクストの読みが苦痛になっていく子どもたちがいるのではないかと懸念される。特にスマートフォンを使う場合は、細切れの時間を使って読むことが多いため、キーワードだけを拾ったり、つまみ食い的な読みになりがちで、一つのテクストを最

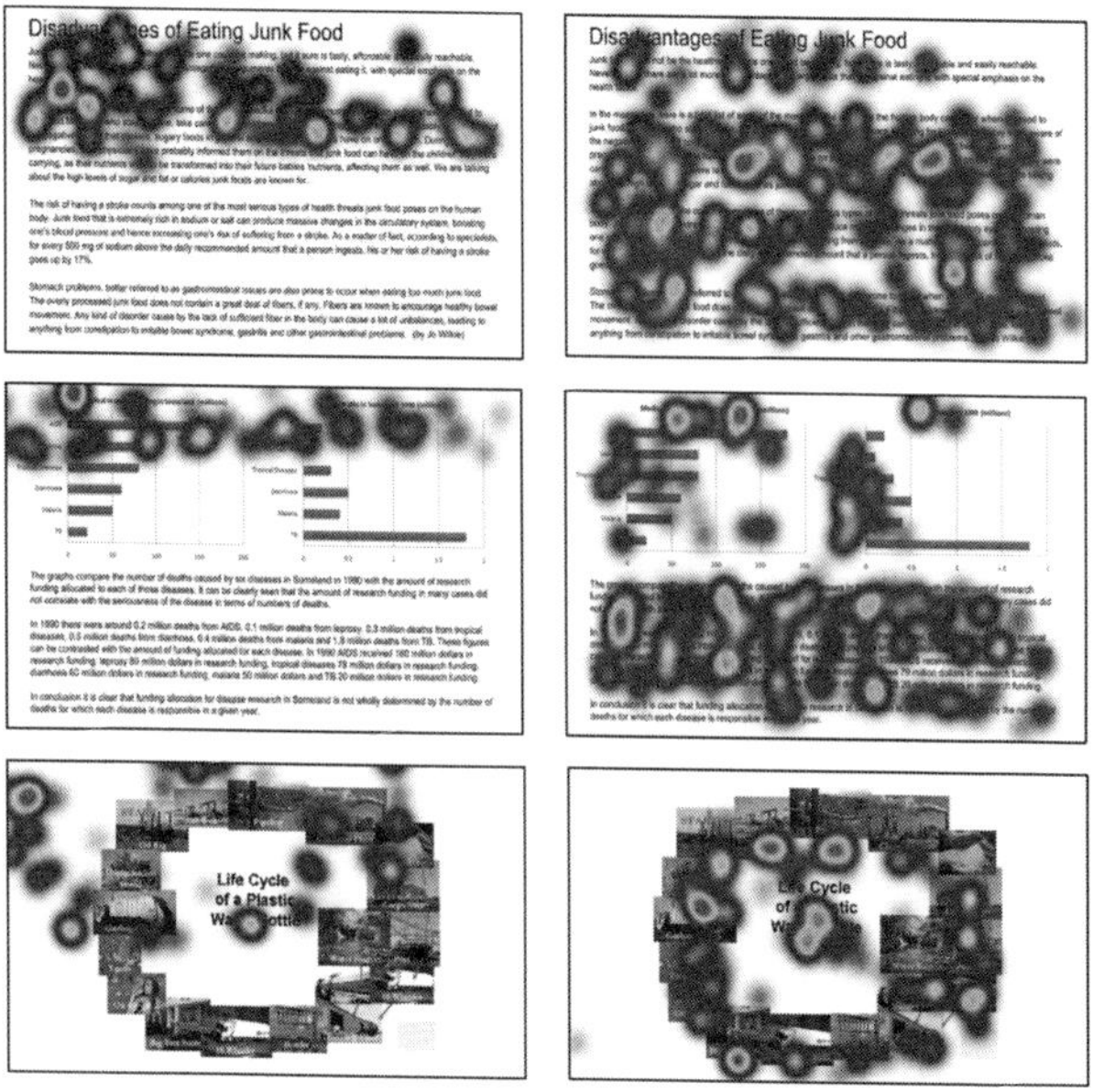

図3-3　英語の熟達度の高い日本人学生（右側）と低い学生（左側）の「読み」のヒートマップ　出典：Paracha, Inoue, & Jehanzeb (2018) p. 173

後まで読み通すことのほうがむしろまれだろう。特定のデジタル上の読みに頼りすぎてしまうと、学校教育で現在求められているような、ある程度の長さを持ったテクストの読解に影響がでてしまうのではないかと懸念される。

†まとめ

この章では、デジタル絵本・物語本などの電子書籍が、学齢期の子どもや大学生の読みにどのような影響を与えるのかを見てきた。

デジタル媒体は紙媒体の特徴を取りいれ、両者の媒体を通した読解の差は近年縮まってきたが、紙媒体の持つ身体性・物理性を克服するまでにはいたっていない。私たちの読みに手の果たす役わりは大きいようだ。

デジタル機器により、膨大な情報にアクセスすることが簡単になったが、デジタル機器による情報を有意義に使いこなすには、情報処理を戦略的に行う技を身につける必要がある。そうした技を身につけ、デジタル環境を享受できる人がいる一方で、情報処理を戦略的に行う技を身につけないまま、情報過多環境に置かれていると、必要な選択ができないまま、一部の情報だけに頼ったりすることで、正確な意味構築や批判的な読みができなくなる可能性がでてくる。

では、動画など非言語情報に大きく依存しているSNSなどのコミュニケーションは、どんな影響を子どもたちに与えるのだろう。次章では、子どもたちにおけるSNSの使用と、読み書きの問題に迫っていきたいと思う。

第4章

SNSのやりすぎは教科書を読めなくする？

1　SNSの「打ちことば」

†SNSと読み書き能力

第1章で見たように、デジタル世代の子どもたちにとって、スマートフォンは生活必需品になっている。10代半ばでは、日本を含む多くの先進国で9割を超す子どもたちがスマートフォンを所有する。特に日本の子どもたちは、SNSの使用率が、他の先進国と比べても高い一方で、スマートフォンを学習のツールとして使う割合が低い（NTT Docomo, 2014）。

このように子どもたちの生活に大きな役割を占めるSNSだが、SNS上の言語使用は、子どもたちの言語発達とどのような関わりがあるのだろうか。食事中も入浴中もスマートフォンを手放せない我が子を心配する保護者も少なくないに違いない。長時間にわたるSNS使用は、読み書き能力に悪影響を及ぼしたりしないのだろうか。教科書を読むことができない子どもたちが増えているのではないかと懸念する声もでている（新井2018など）。この章では、デジタル世代のSNSの使用と、読み書き能力との関係を見ていくことにする。

†「打ちことば」とは何か

スマートフォンやいわゆるガラケー（フィーチャーフォン）上で行われるやりとりには、ユニークな特徴がある。若者のＳＮＳのメッセージを見て、外国語か暗号かと思った年配の読者もいることだろう。携帯電話などのデジタル機器で「打って」使われることから、ＳＮＳやメールで使われる文字ことばを「打ちことば」などといったりする。英語ではテクスティングやテクスト・スピークと呼ばれる。

打ちことばの特徴としては、まず一般的に短いことが挙げられる。TwitterなどＳＮＳの中には、そもそも打てる文字数に制限が課せられているものもある。ＬＩＮＥなどインスタント・メッセージ（ＩＭ）と呼ばれる同期性のもの、つまり送信したものが同時に受信されるものでは、あたかも話をしているかのような特徴がでてくる。話しことばを「見える化」したものだといってもいいだろう。その他、短時間で効率よくメッセージを発するための簡略化など、さまざまな工夫が凝らされている。打ちことばには、いわゆる慣用的な語彙、綴《つづ》り、表記方法、文法等から逸脱したような言語使用が観察される。

表４－１は、日本語と英語の打ちことばの主な特徴をまとめたものである。打ちことば

は、はやりすたれが非常に激しいので、この表に挙げた具体例は、本書が出版された時点でもう古くなってしまっているものもあるかもしれない。ただ、特徴として挙げたカテゴリー自体はあまり変化しないので、ここではカテゴリーに注目してもらいたい。このような打ちことばの特徴はテクシズム（textism）と呼ばれ、社会言語学では、英語圏を中心に多くの研究がされてきた。

この表をさっと眺めてみると、日本語も英語も、まずテクストを簡略化し、打つ手間を効率化するための工夫がされていることがわかる。フレーズの頭文字だけを拾ったものや、二つ以上の語を一つの語にまとめてしまう混合語、略語、同音の文字・数字への変換などが簡略化に相当する。英語では、こうした簡略化・効率化を意図した用法が多くを占める。この中には創造性に富むものも少なくない。アルファベットを正書法とする言語では特に、音韻上の略語や、同音の文字や数字をあてるものを作りだしたりする例も多く、使いこなすには、十分な音韻認識が求められる。さらに英語に関しては、一人称の「I」を小文字のままで打ったり、アポストロフィー「-'s」を無視したりするなどの効率化も見られる。

打ちことばは、視覚的な「遊び」の要素も多々見受けられる。日本語の打ちことばの場合、ひらがな、カタカナ、漢字という3つの表記形態があるために、変換が往々にして面倒くさい。そうした手間を省く、または効率化するために、正書法上の略語や、意味のまっ

		日本語	英語
1	頭字語 (Initialism)	ksnm（くそねむ＝とても眠い）， gdgd（ぐだぐだ）， ks（ケイエス＝既読スルー），	tq (thank you); omg (Oh my God); BRB (be right back);
2	混成語 (blending)	きびつい（厳しくてつらい），いみふ（意味不明）	vlog (video blog); webinar (web seminar); intexticated (intoxicated text)
3	アポストロフィー省略や大文字を小文字化		Cant = can't; i = I
4	音韻上の略語 (Shortening)		thru (through); thanx (thanks)
5	アクセント		gonna (going to); dat (that)
6	同音の文字・数字への振り替え		nite (night); c (see); u (you); L8 (late); 2day (today); CUL8ER (See you later)
7	正書上の略語 (shortening)	り（了解），ま（まじ？）， あーね（あーそうだね）	msg (message); tmrw (tomorrow) txt (text); feb (February)
8	当て字	米する（コメントする），杉（過ぎ），乙（お疲れ），垢（アカウント），禿同（激しく同意する）	
9	英語起源、和製英語	ワンチャン（one chance），リアタイ（real time），おk (OK)， うp(up)，りむる（remove）	
10	視覚的な遊び	orz（おるつ＝ごめん、oは頭、rは腕と胴、zは足でがっかりした様子），つ（手を差し出している様子、どうぞ、ほらの意）	x = kiss; <3 = love
11	記号 (Symbols)	卍（いろいろな意味で使われる、「やばっ」に近い），ダッシュ（－）、波線（～）	= (equal to); ¥ (therefore)
12	視覚的なかわいさ、感情表現	絵文字，顔文字，スタンプ， w, 草（笑う、www 大笑い）， ありがとぅ（わざと小文字），すこ（好き）	Emoticons :-), ☺; LOL (loud out loud, 爆笑); I **love** you
13	文字の繰り返し	アハハハハハ！，優勝だあああ あ！	Soooo = so; grrreeeeenn for green
14	記号の繰り返し	あ -----!!!，なんだと、、、、	what!!!! (what!)
15	大文字の使用	すげぇ HAPPY	I AM ANGRY

表 4－1　日本語と英語の打ちことばの特徴

日本語	英語
(^_^) ニコニコ	:-) ニコニコ
(T T) 悲しい	:-(悲しい
(>ε<) 怒っている	>: 怒っている
(^_^;) 気まずい、焦っている	

表4-2　日本語と英語の顔文字の違い　出典：カヴァナ（2012）p. 16

たく異なる当て字などの使用が多いが、これらは言葉遊びの要素が強い点でも特徴的である。乙（お疲れ）や垢（アカウント）など、最初の2文字を打った後に、漢字変換の候補として挙がったものをたまたま選んで使ってみたら、ウケて広まったという感じだろう。意味不明的なところが、かえっておもしろい。

　さまざまな記号、顔文字、絵文字も、英語・日本語の双方で、視覚的な可愛さや、感情表現としてよく使われる。こうした記号、顔文字、絵文字などはエモティクス（emot-ics）と呼ばれる。携帯電話上のSNS等のやりとりでは、身振り手振りや表情、イントネーションなど、面と向かって話をする際に重要な役割を果たす非言語的なコミュニケーション要素が欠如しているので、エモティクスはそうした非言語的要素の代用・補完的な役割を果たすものとして使われる。

　面白いことに、記号、顔文字、絵文字の使用には文化の違いも認められる。たとえば、表4-2で示すように、顔文字も、日本語では正面を向いて通常鼻がない形をとるのに対し、英語では横向きで鼻がついていることが多い。カヴァナによると、日本文化では、感情を目で表す傾向があるのに対し、英語圏の文化では口で表す傾向があるのだという（カヴァナ２０１２）。

†日本語打ちことばの特徴

視覚的な可愛さや感情表現に関しては、日本語の打ちことばは、英語のテクスト・スピークと比較すると、非常にバラエティーに富んでおり、使用頻度も高い。日本語では絵文字の種類も多い。日本の絵文字はいまや emoji として国際的に使用されるようになったが、三宅によると絵文字と emoji は違うという。海外の emoji は具体的に描かれており、意味が明確であることが多い。つまり、個々の emoji の持つ意味は固定化している。一方、日本の絵文字は、シンプルな線や絵からできていることが多く、そのシンプルさのゆえ、意味をあいまいにする。逆にいうと、その意味のあいまいさの故に、かえって汎用性《はんようせい》が高く、感情表現や、微妙なニュアンス作りなどに有効に使われているのだという（三宅２０１３）。

意味のあいまいさは、日本のデジタル世代に人気のＬＩＮＥで使われるスタンプにもあてはまるという。スタンプはメッセージ性が高い。ＬＩＮＥ上のやりとりをみると、文字なしでスタンプだけでやりとりが行われたりすることもよくある。ただ、何を表しているのか、よくわからないスタンプも少なくない。絵文字と同様、スタンプの持つ「意味のあいまいさ」のゆえに、多様な意図をもって使うことができる。スタンプは句読点の代わりに使われたり、トピック変換の目印や、会話終了の合図など、幅広い用途で使われている（西川・中村2015）。その結果、句読点などのルールが非常に多様化しているのも事実である。意味のあいまいなものを、いろんなコンテクストで使いまわす方法は、読み手への依存度が高く、言語情報よりも文脈情報を優先する、日本語のコミュニケーションの特徴をよく表しているものだともいえる（加納他2017）。

チャット形態のLINEにおいては、分かち書き（つまり、文の途中でもいくつかの部分に分けて送信する）の多用も特徴的である。やりとりの単位には世代差があり、特にデジタル世代では文以下の単位（語やフレーズ）でのやりとりが主流である。完結した文を書くことはむしろまれだ。そして、句読点の代わりに、記号や絵文字、スタンプをつけることが多い（加納他2017）。

さらに、日本語の打ちことばでは、親しさの一表現として、絵文字、顔文字、記号などのエモティクスの他に、古語や方言の使用なども挙げられる。方言に関しては、その方言の話者が同郷の相手に使うというわけでは必ずしもない点が興味深い。むしろ、雰囲気を和らげるために、東京方言の話者があえて関西方言を使うなどというケースが少なくない

図4－1　LINEのスタンプ例　文字がなく、意味があいまいなため、逆に汎用性が高そうなスタンプも少なくない。

ようだ。そうした際には、相手を無意味に傷つけることがないように、その方言の話者には使わないという（三宅2018）。「エセ方言」や「方言コスプレ」などと称されるこうした現象も、現実とは違うバーチャルなペルソナを楽しむ一つの方法なのかもしれない。三宅が都内の大学で行ったある研究によると、東京方言を話す学生の8割が、こうしたエセ方言をSNS上で使っていると答えていた（三宅2005）。

最後に、LINEのような同期型のインスタント・メッセージでは、会話が視覚的に画面に記録されることで、2つ以上のトピックが並列的に語られることがある。「今日、何食べに行こうか」と話していた最中に、芸能人のゴシップの話題が入り、ゴシップを続けながら、食べに行くところの話をするといったようなケースである。こうしたことは、音声だけに頼る対面型の会話では普通起こらない。話しことばとも違う、ユニークな特徴だといえるだろう（西川・中村２０１５）。

2　打ちことばが与える影響

†ハムレットも2B or 2b (not) ⁉

このように、打ちことばは、ユニークな特徴を持つ、新しい言語形態ともいえるが、規範の言語使用からは逸脱していることから、その使用が読み書き能力（特に学校教育など学習の場面に必要な学習言語能力）に与える影響を懸念する教育者や保護者も少なくない。

教育言語学では、日常生活で使う言語能力と、学校教育など学習場面で使う言語能力を区分する考えが浸透している。こうした区分の中で、もっとも広く知られているのが、カナダのカミンズという学者が唱えたＢＩＣＳ（Basic Interpersonal Communicative Skills, 伝達言語能力）と、ＣＡＬＰ（Cognitive Academic Language Proficiency, 認知学習言語能力）という考え方である。

ＢＩＣＳは日常生活を送る中で、母語話者なら自然に身につく言語能力で、場面への依存度が高く、それほど高い認知力を必要としない。「日常生活に必要な基礎的な対話力」(中島2015)といってもいいだろう。一方、CALPは、抽象的な思考を伴うものなど、場面への依存度が低く、高い認知力を必要とする言語能力である。読み書きの能力はCALPの要素が高いが、BICSが口語能力で、CALPが読み書き能力という単純な関係では必ずしもない。講義を聞いて理解したり、ディスカッションを行ったりする能力は、口語であってもCALPにあたる。SNSで使われる言葉は、多くの場合、書き言葉であっても、CALP的な言語能力とは違うと考えられる。

CALPの習得に重きを置く学校教育担当者は、SNS上の言語使用がCALPの発達に悪影響を及ぼすのではないかと懸念する。たとえば、アメリカの教師組合のトップであるケイト・ロス(当時)は、SNSが今ほど普及していない2007年の段階ですでに、SNSが生徒のライティング(原文ではわざと生徒の真似をしてタイトルのwritingをritingと綴っている)に悪影響を与えていると言っている。

テクスティングやインスタント・メッセージは、教室内に、略語を持ち込むことで、日常的に生徒の作文の質に悪い影響を与えています。電子チャットのせいで、子どもたちは、作文の宿題で、主語と動詞の一致など、数多くの文法的間違い、綴りの間違いをおかしています。（中略）多くの教師たちが、生徒たちの「テクスト・スピーク」（訳注：つまりSNS上の話し方）が、彼らの弱い作文力の元凶《げんきょう》だと考えています。テクスト・スピークこそが問題なのです（Ross, 2007）。

日本でもSNS上の打ちことばが言語コミュニケーション能力に及ぼす影響を指摘する声はある。社会言語学者の三宅和子は、「ウイットが効いているなど文字の使い方のスキルは高くなっていると思う」とその創造性を高く評価する一方で、デジタル世代は対人コミュニケーションが少なくなったため「相手のことばに即応したり、表情を読み取ったりする対人関係の力は醸成されにくくなったと言える」とし、「このため価値観や世代が異なる人に理解してもらうことに対して敏感ではなくなったと感じる」と述べている（三宅2018）。同じく、若者のことばを長年研究している社会言語学者の米川明彦は、「ことばを厳密に使い分けるのを煩わしいと考え、自分の思いを丁寧に説明するのも面倒ととらえる傾向が顕著である」と言っている（米川2017）。

社会言語学者は、ことばの変化を肯定的にとらえる人が多いが、打ちことばの魅力をたたえつつも、デジタル世代の言語表現能力への懸念も隠していない。ハムレットの2B or 2b (not) =? (To be, or not to be?) ではないが、「打ちことば」と学校教育をどのように共存させていくかは、難しい課題だといえそうだ。

†打ちことばの影響は Gr8 Db8

しかし、はたしてSNS上の打ちことばは、本当に子どもたちの読み書きに悪影響を与えているのだろうか。残念ながら筆者の知る限り、日本では両者の関係を組織的に調べた実証研究は今のところない。ただ、欧米では、教育関係者の懸念を受け、多くの研究が行われてきた。結論から言うと、結果は、良いとするもの、悪いとするものが混ざっている。大いなるディベート（Gr8 Db8 ＝ Great Debate）状態であるといえる。ただ、こうした研究を詳しく見てみると、ある程度傾向があることがわかる。

保護者や教師の感覚からいうと、打ちことばの使用は、綴りや読みをまだしっかり習得していない小学生への影響が大きそうな気がする。一方、読み書き能力がある程度確立している大学生などは、悪影響が少なさそうだ。しかし、少なくとも英語圏で行われた研究に関しては、そうともいえないようである。実は、小学生にはプラスの影響があるとする報告が多くを占め、一方大学生を対象とした研究では、まったく影響がないか、逆にマイナスの影響があるとするという結果が多い（Gunter, 2019）。

英語圏の小学生（だいたい8歳から11歳ごろまで）を対象にした研究の多くは、略語の使用頻度と綴りのテストや標準テストの読みの点数との間に、プラスの相関関係があることを報告している。つまり、表4－1で紹介したような略語などのテクスト・スピークをたくさん使える子どものほうが、綴りや読みのテストの点数が高いというのである（Gunter, 2019）。

しかし、相関関係があるというだけでは、もともと綴りや読みがよくできる子どもたちが、テクスト・スピークをたくさん使う傾向があった可能性もある。そこで、まだ一度も携帯電話を使ったことのない子どもたちに、一定の期間、携帯電話を使ってもらうといった研究もなされた。たとえば、ウッドらの研究では、それまで携帯電話を使ったことのない9～11歳の子どもに、10週間ほど週末に携帯電話を使ってもらい、使用前と後の綴りと読みのテストの点数を比較した。その結果、テクスト・スピークは、綴りと読みにプラスに働いていることがわかったという（Wood et al. 2011）。つまりテクスト・スピークをすること自体が、綴りや読みの力を高めることに貢献したというのである。

†プラスにはたらく英語ならではの理由

こうした結果を意外と思う読者もいるだろう。しかし、よく考えてみると、この結果には、英語などアルファベットを文字に持つ言語の特徴が表れているともいえる。第3章で説明した音と綴りとの関係性を思い出していただきたい。

先行研究の多くは、規範の英語を子どもたちに与えて、それをテクスト・メッセージを送る時のように「翻訳」してもらって、略語などのテクスト・スピークの使用度を推定したり、テクスト・スピークを処理するスピードを測定したりして、そのパフォーマンスを綴りや読みのテストの点数と比較したものが多い。略語を中心としたアルファベット言語のテクスト・スピークでは、すでに見たように音と綴りとの関係性を使って遊ぶものが多い。つまり音韻認識が高くないと、テクスト・スピークを使いこなせないのである。その証拠に、ウッドらの研究では、音韻認識能力を統計的に統制すると、テクスト・スピークの使用と綴りの能力との関係性が消えてしまっている。この結果から、高い音韻認識を持っている子どもは、音と綴りとの関係性を利用して、略語などテクスト・スピークに見られる言葉遊びができ、それがひいては綴りや読みの力を伸ばすことにつながっていると考えられる。

読解力の高い子どもたちと低い子どもたち（10、11歳）のテクスト・スピークの使用状況を比べたコーらの研究では、読みの能力の低い子どもたちは携帯電話の使用時間が長かった。一方、読みの能力の高い子どもたちは、携帯電話の使用時間が短くても、テクスト・スピークを自分のメッセージで使う率が高く、テクスト・スピークを読むスピードも速かったという（Coe & Oakhill, 2011）。読みの能力の高い子どもたちは、楽しんで略語などのテクスト・スピークを使ってメッセージを作成することで、言語の仕組みや自らの言語使用を認識する能力（これをメタ言語能力という）を高めているらしい。メタ言語認識を高めることは、読みの力を高めることにつながる。つまり、正のスパイラルが起こっていると考えられる。

どうやら、テクスト・スピークで使われることばは、新しい一つの言語タイプとして考えられ、二言語によるリテラシー（バイリテラシー）にメリットがあるのと同様に、テクスト・メッセージの使用もメリットになっているようだ。二言語使用が、音韻認識を高めたり、メタ言語認識を高めることはよく知られている。バイリンガルのメリットである。方言話者にもメリットがあるといわれている。SNSなどのテクスト・メッセージで使われることばは、新しい自然言語システムとして、それを享受できる子どもたちの間では、彼らの言語生活を豊かにし、規範の言語習得（学校で習う言語の習得）にも、プラスに働いているようだ。

†打ちことばがマイナスの影響を与える場合

テクスト・スピークのさまざまな言語使用（これをテクシズムという）が、読み書きにプラスになる要素を含んでいることはわかったが、気になるのは、この正のスパイラルを享受できない場合はないのかという点である。

大人を対象とした研究結果からは、子どものケースと異なり、テクスト・スピークは、読み書きに影響しないか、またはマイナスの影響があるとする結果報告が多い。なぜそうなのかは明確ではないが、一つの鍵はどんな大人を研究対象としているのか、そして、どのような場面における読み書きの能力を測定しているのかというところにあると考えられる。大学生を対象とした研究が多い中で、教育レベルの異なる若者を対象とし、フォーマルとインフォーマルな場面での書く能力を調べたローゼンらの研究は注目に値する(Rosen et al. 2010)。

ローゼンらの研究では、アメリカ、ロスアンゼルスの18〜25歳の若者に、フォーマル、インフォーマルの2種類の作文を書いてもらった。その結果、まず他の多くの研究同様、テクスト・スピークで使うような略語などを作文自体に(フォーマル、インフォーマルな場面に関係なく)直接使う頻度はおしなべて低い。若者たちは、テクスト・スピークは、携帯電話上の言語使用だと心得て、使い分けているようだ(ただし、ローゼンらの研究は2010年に発表されたものなので、その時点での若者である点には注意しておきたい)。

ともかく、重要な点はこれからだ。実は、研究協力者に書いてもらった作文の質(語の選択や使い方、文法、表現、トピックの扱い方、全体の構造、論理の流れなど）と、普段のテクスト・スピークの使用状況との関係を詳細に調べたところ、普段のテクスト・スピークの使用状況はインフォーマルな作文の質とは正の相関を示したのに対し、フォーマルな作文の質との間には負の相関を示した。大学教育を受けていない若者の間では、普段の略語の使用頻度とフォーマルな作文の質との間に特に強い負の相関を示した。

フォーマルな場面での作文といえば、学校教育で往々に書くことが要求されるタイプの作文だ。カミンズのいうCALPに相当する。どうやら、テクスト・スピークの使用は、学校教育で要求されるような作文場面にはプラスに働いていないようだ。さらにこの傾向は、教育程度の低い層で特に強くなっている可能性がある（ただし、相関関係からは因果関係を引き出せないので、あくまでも推測である）。

英語圏ですら、まだまだ研究の量が少なすぎるので、結論は出せない。しかし、もしテクスト・スピークが人によって、また課題によって、違う影響を読み書きに及ぼすとすれば、どのような人に、どのような形で影響を及ぼすのかを、詳しく調べる必要がありそうだ。

†まだ見えていないこと

ここまで英語圏で行われてきた研究の結果を紹介してきた。こうした研究によれば、教育関係者や保護者の心配とは裏腹に、小学生ではテクスト・スピークは読み書きにプラスの影響を与えている。一方、年長の若者の間では、結果が割れている。その一因として、対象者により、また読み書きのジャンルによっても異なる影響がでている可能性があることを指摘した。では、日本の打ちことばの場合にも同じことがあてはまるのだろうか。

社会言語学者が指摘するように、日本語の打ちことばも英語のテクスト・スピークと同様、非常に創造性にあふれており、デジタル世代の言語生活を豊かにしていることは間違いない。非言語的な要素も上手に取り入れながら、ユニークなコミュニケーション形式を備えている。ただ、学校教育で要求されるような学習言語とは、遊離した要素が多い。そのため、学校教育でいい成績を収めるには、おそらく使い分けが重要になってくると思われる。もちろん、明快な回答を得るには、日本での組織的な調査の積み重ねを待たねばならないが、いままでの英語圏の研究からは見えてこなかった部分があることも指摘しておく必要がある。

一つは、言語の特徴の違いからくる読み書きへの影響だ。すでに見たように、英語のテクスト・スピークは、音遊びを利用したものが少なくない。その上、英語のテクスト・スピークの言語使用は、英語の音韻のルールにのっとっているものが多いので、比較的透明性が高く、テクスト・スピーク自体に慣れていなくても、音韻ルールを習得している者にとっては「解読」することがそれほど難しくない。実際、大多数の教師が、子どもたちのテクスト・スピークを理解できるといわれている。英語は音と綴りとの関係が複雑（第3章で見た「深い表記」を持つ言語）で、音と綴りの関係をうまくつかめないと読みをマスターできない。つまり、テクスト・スピークを使うことは、この関係性を習得するのに良い機会を提供してくれるといえる。英語の場合、テクスト・スピークの使用が音韻認識の向上につながる要素がここにある。

一方、フィンランド語を話す9〜11歳の小学生で行った研究では、テクスト・スピークは、音韻認識、語彙、綴り、読解のどの指標にも影響がなかった（プラスもマイナスも影響なし）（Plester et al., 2011）。同じアルファベットを使う言語でも、フィンランド語のように浅い表記を持っている言語（つまり、音と綴りが英語より規則的）では、子どもたちによる音と綴りとの関係性の習得が早いので、英語で見られたような、テクスト・スピークで音韻認識を高めるといったメリットが、小学生ではもう得られないのかもしれない。また、フィンランド語でのテクスト・スピークは英語と比較すると、書きことばからかなり逸脱した特徴を持っているという。こうしたテクスト・スピークと書きことばとの大きな違いが、英語と異なり、子どもの読み書きに直接プラスに働いていない原因の一つではないかと考えられる。

英語以外の言語での研究は非常に限られているので、推測の域をでないものの、日本語のひらがな、カタカナも、フィンランド語のように浅い表記システムなので、打ちことばによる音韻認識を高めるメリットはあまりないかもしれない。打ちことばを使い始める前に、音と文字（ひらがな、カタカナ）との関係性をすでに習得してしまっているからだ。

また漢字に関しては、意図的というよりは、文字入力した時にスマートフォンがたまたま変換してくれたものを使って遊ぶケースも少なくないので、打ちことばの使用が、漢字の読みの能力はともかく、書く能力を高めることに貢献しているかどうかは疑問だ（ただ今後、漢字を手で書ける能力がどれほど重要なのかについては、議論の余地があるといえる）。

さらに、日本語では、そもそも話しことばと書きことばの距離が英語よりずっと大きい。特に教科書等で使用される学習言語では、日常の話しことばではあまりお目にかからない漢語などが多用される（バトラー2011）。こうした学習場面に必要な書きことばのルールを習得するには、打ちことばの使用とは関わりなく、そうしたテクストを読む機会が十分になくてはならない。

†SNS使用の急速な変化

もう一つ、先行研究に反映されていない重要なポイントは、ここ数年の目まぐるしいSNS使用の変化だ。今、報告されている研究の大部分は、携帯電話間でやりとりされるショート・メッセージ・サービス（SMS）や、Facebookなど、比較的テクスト中心のSNSを対象にしている。しかし、デジタル世代の間では、この数年の間で、よく使われるSNSのタイプにも大きな変化があり、第2章で見たように、Instagramなど、写真や動画などが中心で、テクスト部分の少ないSNSが人気を博している。日本ではLINEが一番人気だが、LINEもすでに見たように、文以下の単位（語やフレーズのレベル）がやりとりの大部分を占める。テクスト使用の質も頻度も急速に変わってきており、そうした変化に研究のほうが追いついていない状態だといえる。

表4-3にまとめたように、同じ日本語のSNSでも、打ちことばと話しことばとの距離は異なる。LINEは、親しい人たちとの閉鎖されたスペースの中で使われ、双方向のインスタント・メッセージである。やりとりが同時に行われ、日本で人気のSNSの中でも、もっともくだけた話しことばの形式を持つ。すでに見たように、分かち書き、極端に簡略化されたやりとり、スタンプやエモティコン（絵文字、顔文字、動く絵文字）や感情を

	LINE	Facebook	Twitter / Instagram
使う対象、内容	最も親しい人との間の連絡事項と雑談が主	身内以外の仲間などが多い、近況報告	SNS上の知り合い／不特定多数対象
文体	くだけた話しことば、短い高速なやりとりの応酬／時間のあいたやりとりも可能	話しことばと書きことばの両方の特徴を備える	話しことば／不特定多数でもくだけた表現／字数制限のあるTwitter、ヴィジュアル中心のInstagram
方向性	双方向／「既読」は「いいね」とは違う役割	比較的一方的／「いいね」（発話でない同意）あり	比較的一方的な発話／「いいね」（発話でない同意）あり
絵文字、スタンプ、ハッシュタグ	スタンプと絵文字が多い／楽しいコミュニケーションの雰囲気作り／感情表現、スタンプが多義的に理解される／スタンプは会話終結のサインとしての役割も	スタンプはあるが、あまり使われない	ハッシュタグ（共通の話題の目印としてのTwitterと、人目を引くための検索機能としてのInstagram）

表4－3　日本のデジタル世代に人気のSNSの特徴

あらわす記号の多用などが特徴として挙げられる。こうしたスタンプやエモティコンを多用するやりとりでは、言語表現のほうが、マイナーな役割に転じることが多い。また、写真や動画の発信が中心であるInstagramにいたっては、テクストは、まさに補足的な役割を果たしているにすぎない。テクストがほぼ不在のものも少なくない。

テクストに接する時間が読みの力を左右することは、古くから知られている。たとえSNS上の打ちことばの使用自体が、直接読み書き能力に影響を与えなかったとしても、もしSNS以外の他の方法によってテクストに接する機会を補うことができない場合、現在学校教育で要求されているような書きことばの慣習を、十分に身につけることができなくなってしまう可能性は否定できない。

3　日本の子どもたちへの影響

†本当に教科書が読めなくなっているのか？

数学者の新井紀子は、東大合格を目指すAI東大ロボくんの開発の経験から、AIの苦手な分野は文章理解能力とし、この力を十分に身につけることがAI技術が伸長するこの先の時代を生き抜く鍵だと主張した。そしてリーディングスキル・テストという読解力を測るテストを開発し、その結果、多くの子どもたちが将来AIに仕事を奪われないための文章理解能力を身につけていないとして、著書『AI vs. 教科書が読めない子どもたち』（2018）で警告を鳴らした。

リーディングスキル・テストは、7つの領域（係り受け解析、照応解決、同義文判定、推論、イメージ同定、具体例同定〔辞書・数字〕）からなる。開発者によると、各領域の意味は以下の通りである（教育のための科学研究所２０１７）。

係り受け解析「文の構造を正しく把握する、読解力の最も基礎となる」能力
照応解決「代名詞が何を指しているかを正しく認識する」
同義文判定「与えられた二文が同義かどうかを正しく判定する」
推論「既存の知識と新しく得られた知識から、論理的に判断する」
イメージ同定「文と非言語情報（図）を正しく対応づける」
具体例同定「辞書の定義を用いて新しい語彙とその用法を獲得できる、または理数的な定義を理解し、その用法を獲得できる」

各設問は主に教科書や新聞記事からとった一つまたは二つの短文からなり、多肢選択式で回答する。開発者によると、係り受け解析、照応解決、同義文判定は、文の表層的な情報を読み取る能力であり、推論、イメージ同定、具体例同定は、文の意味を理解できる能力となっている。そしてＡＩは、少なくとも２０１８年の時点では、前者の文の表層的な情報を読み取ることは得意とする一方、後者の意味理解は苦手だとし、ＡＩ時代を生き抜くためには、後者の能力の習得が不可欠だとした。

†都内公立中学での調査

新井氏の許可を得て、筆者はある都内の公立中学で、２０１９年にスマホの使用とリーディングスキル・テストの関係を調べてみた。この調査は、ＳＮＳまたは打ちことばの使用が読みの力にどのような影響を与えたのかを直接調べたものではないが、いままでの議論に関係する少し興味深い結果がでたので紹介したい。

対象となった公立中学は、偏差値がほぼ50程度であることから、学力的には非常に平均的な中学だと考えてよいだろう。在校するすべての1年生、2年生、２０２名を対象に、スマホの使用状況と学校での読み書きや成績との関係を調べた。リーディングスキル・テストはその指標の一つである。

スマホの使用時間によって、それぞれのグループの人数がだいたい同じになるように、生徒を5つのグループに分けた。最少グループ（スマホ使用時間が一日60分以内）、少ない（60～１４０分）、中程度（１４０～２４０分）、多い（２４０～３６０分）、最多（３６０分以上）である（この中学校ではスマホを持っていない生徒がわずか12人しかいなかったので、スマホを持っていない生徒だけの分析は行っていない）。リーディングスキル・テストの7つの領域ごとに、スマホ使用時間の異なるグループごとのパフォーマンスの違いを調べたところ、

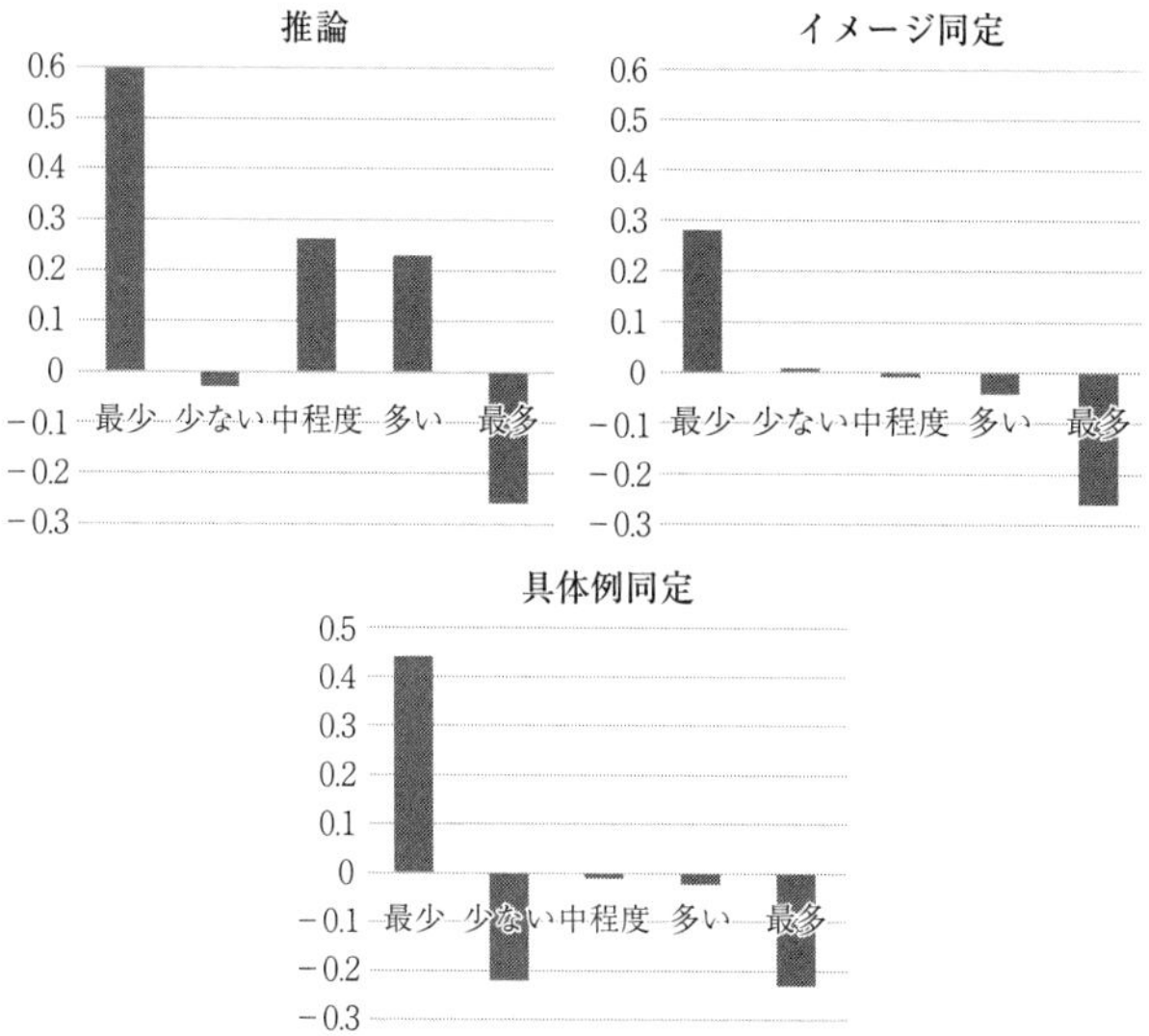

図4-2　リーディングスキル・テストの結果でスマホの使用時間との間に違いがでた3領域

「係り受け解析」「照応解決」「同義文判定」つまり、文の表層的な情報を読み取る能力に関しては、スマホの使用時間による違いは、統計上見られなかったが、「推論」「イメージ同定」「具体例同定」つまり文の意味を理解できる能力には、スマホの使用時間による違いが見られた。図4―2は、後者3つの領域の結果を表している。Y軸は能力値を示している。能力値とは、項目反応理論というテスト理論に基づいて、その受験者の能力を推定したもので、0を原点にしており（平均的な受験者が0だと考えてよい）、一緒に受けた受験者集団や、テスト項目の難易度に左右されないものと考えられている。

全体的な傾向としては、意味の理解に関する領域では、スマホ使用時間が1時間以内の生徒たち（スマホ使用時間最少グループ）は、他のグループよりパフォーマンスが高く、一方、スマホ使用時間が6時間を超えるグループ（最多グループ）は、パフォーマンスが低い。こうした両極端のグループの違いが、文の表層的な情報を読み取る領域ではでてこないが、意味構築の領域、つまりテストの開発者のいうAIが不得意とする領域ではでていたということである。要するにテスト開発者によれば、AI社会で人間が生きているためには、死守したい能力で差がでていたというわけだ。

生徒へのアンケートでは、スマホの使用の多くはSNSと動画視聴に費やされていた。長時間にわたる、非言語的要素への依存の高いSNS（LINEやInstagram）の使用や

YouTubeでの動画視聴は、テクストの意味構築能力と何らかの関係性がありそうだ。スマホの長時間の使用は、テクストへの接触を少なくし、それがテクスト意味構築能力に影響するのではないかと予想できる。ただ、因果関係まではこの分析ではわからない。言語テクストからの意味構築を苦手としている子どもが、非言語的な情報に依存したコミュニケーションに大きく偏っているという可能性もある。また、両方の要素が互いに影響しあい、負のスパイラルが生じているのかもしれない。

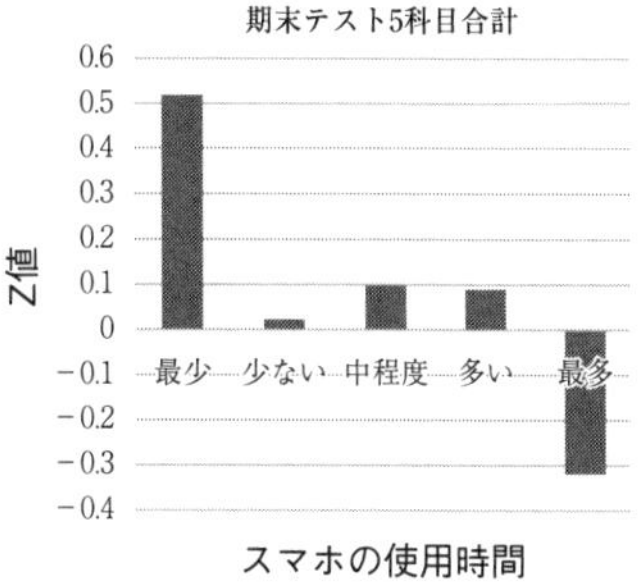

図4－3　期末テスト5教科の点数とスマホの使用時間との関係（標準化されたスコアを使用）

前記の分析では、スマートフォンの使用時間により、言語テクストの意味構築に違いがあることが示された。同様の傾向は、図4－3で示すように、期末テストの結果にも表れている。意味の構築は、学習そのものでもあるので、AIが苦手か否かに関わりなく、しっかり身につけたい能力であることには変わりない。その点で、全体の約2割にあたる長時間スマホを使用しているグループが、意味構築の領域において相対的に低いパフォーマンスを示していることは懸念材料であるといえるだろう。

もちろん、リーディングスキル・テストの結果だけ

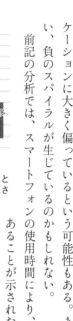

をもって、スマートフォン使用時間の多い生徒が、教科書が読めなくなっていると結論づけるのは、少し早急だ。リーディングスキル・テストは、短文単位の、読解のある一面をとらえているにすぎないからである。さらに、リーディングスキル・テストで高得点をとるには、スピードも要求される。多肢《たし》選択式テストへの慣れも必要だろう。一方、実際の教科書のテクストは、ある程度の長さを持ち、最近では図や写真、マンガなど、非言語的要素も豊富に使われている。理解するための時間制限もない。ただ、少なくとも、一定数の子どもたちの間では、教科書など学校教育の場面で使用されるいわゆる「学習言語」と呼ばれる言語の習得に支障がでている可能性は否定できない。

†学習語彙習得への不安

教科書や授業の理解に大きな影響を与える要素の一つに、学習語からなる学習語彙の習得がある。学習語とは、表4－4が示すように、日常生活ではあまり使わないが、学校教育での学習全般に必要な語のことである。ただし、「光合成」や「整数」など、教科特有の専門語といわれる語は含まない。専門語と比べて、学習語が厄介なのは、学習語は教科理解に大変重要な役割を果たすのに、知っていることが前提となっているために、教科書も先生も改めて意味を説明してくれないことが多いからである。一方、専門語のほうは、教科書

	意味範囲	使用範囲	例
一般語 (General words)	特化せず	分野を超えて使用される	りんご、公園
専門語 (Technical words)	特化した意味	分野限定	光合成、整数
学習語 (Academic words)	特化される場合もされない場合もある	分野を超えて使用される	比較、分析、検討する

表4-4　学習語の位置づけ　出典：バトラー（2011）p.122

教科書にもきちんと定義がでているし、先生も黒板に書いたりして、その意味をきちんと説明してくれる。先行研究からは、学習語彙の着実な習得が、教科学習に大きな影響を及ぼすことが示されている。

筆者は2011年に、国立国語研究所（当時）が所有していた教科書コーパス（現在は「現代日本語書き言葉均衡コーパス」〔BCCWJ〕に収録されている）を使い、小中学生のための1230語からなる学習語彙のリストを作成した（バトラー2011）。コーパスとは、言葉を集めてデーター・ベース化したものである。筆者は、前述のリーディングスキル・テストを受けてくれた公立中学の同じ生徒たちに、この学習語彙リストを与えて、意味がよくわからないと思うことばにチェックをしてもらった。この自己評価方法は、非常に大雑把なやり方だが、対象者の語彙力をある程度の精度をもって把握するに適していることが実証されており、欧米では、プレースメントテスト（学習者のレベルを把握し、適したレベルのクラスに振り分ける際に使う）などとして使われることもある。今回の調査では、有効回答数195名中、約2割の生徒が、小中学生の教科書にある学習語の2・5％以上、そのうち約1割の生徒は、学習語の5％以上がわからないと返答していたことが判明した。

5％はかなり低率だと思われる読者も少なくないだろう。しかし、実証研究からは、テクストを自力で読みこなすには、テクスト内の語彙の実に95％から99％を知っている必要があるといわれている（Hu & Nation, 2000）。英語圏では、表4－5にある指標がよく知られており、アメリカでは小中学校の教員研修ではほぼ必ずといってよいほど、教師たちに伝えられる内容である。教員研修では、自主学習に使う教材を選ぶ際は、児童・生徒がテクスト内の語彙のほぼ95％以上を知っているものを選ぶよう勧められる。ほぼ同様の指標が、英語だけでなく日本語でもあてはまるといわれている。

注意したいのは、ここでの95％から99％という数値は、テクストの中に含まれる語の中の95％から99％以上を知っている必要があるということで、その中には、読解上それほど重要でないものや、テクスト内で意味が定義されているものも含まれる。つまり、学習語以外のものを含んだテクスト内のすべての語のうち、95％から99％を知っている必要があるということである。学習語は定義上、教科書等のアカデミック・テクストを理解するに

	解読度	理解度	注意事項
自力で読めるレベル	95-99% 以上	ほぼ正確	多読、自主学習が効果的
指導レベル	90% から 95% 程度	指導前は 75% 程度	言語上の支援が必要なレベル／読むスピードは遅い／動機を維持させるための努力が必要
ストレスレベル	90% 以下	50% 以下	テクストから学ぶのはほぼ不可能なレベル／児童生徒の自信を損なう可能性あり

表 4－5　語彙習得度と読解度　出典：バトラー（2011）より。内容は Hu & Nation（2000）、Laufer（1989）、Schmidt, Jiang, & Grabe（2011）などに基づく

は要となる語彙であり、こうした語の理解がままならないと、教科書の自力での読解が難しくなる可能性が高いと予想できる。すなわち、学年相当の学習語でわからないものが5％以上というのは、決して低率ではないのである。

さらにつけ加えておきたいことは、調査対象の中学生が「意味がわからない」と答えた語彙の中には、テクストの関係性を把握するのに大変重要な接続詞等が、少なからず含まれていたということである。たとえば、数学でよくでてくるような「AかつB」の「かつ」は202名中88名が、「〜において」の「おいて」は71名が、「なお」は53名が「わからない」と回答している。その他、「ただ」「しかも」「ただし」「あるいは」「すなわち」といった語も、「わからない」とされた語の上位に入っていた。こうした語の意味がしっかり把握されていないと、教科学習に不可欠な理論的な思考

や、情報の関係性の把握などに支障をきたしそうだ。実証データはないが、こうした語は、彼らがSNS等でよく使うことばではないと推測できる。

4　今後の課題と提案

†詳細な実証研究の必要性

今、教育関係者が早急に取り組まなければならない点が、少なくとも2つはあるだろう。

一つは、SNSの使用と、教科書など学習用のテクストの意味理解との関係を、詳細に調査することだ。それも前記のSNSの使用時間と読解テストとの関係というレベルから、さらに踏み込んで、SNSを含めた子どもたちのテクストの使用関係（つまり、どんな言語、非言語テクストを読んでいる、または消費しているのか）と、読解のさまざまな側面（音韻認識、漢字の読みのプロセス、言語処理スピード、意味構築、クリティカル・リーディング〔批判的・主体的にテクストを読みこむこと〕）との関係性を、詳細かつ実証的に把握することである。さまざまなジャンルのテクストでの調査や年齢別の調査も必要だ。信頼のおける実証データなしに、教育政策や、指導方法を決めることはできない。

†リテラシーのとらえ方の再考の必要性

ただし、こうした従来のアプローチに基づくデータの収集だけでは不十分だ。もう一つ着手すべきことは、従来の読みの概念やテスト方法を見直すことである。これには、柔軟に発想を転換することが必要になる。どのように読みをとらえるかによって、実証データの収集方法も、それによって得られるデータの解釈も大きく変わってくる。

今、私たちが、デジタル世代の読みの力をきちんと把握しきれていない理由の一つは、教科書を含め、デジタル時代の子どもたちの学びのツールや環境が非常にマルチモダル化（言語テクストだけに頼らない形態のこと）し、多様化しているのに、リーディングスキル・テストを含む、いままでの研究で使われてきたさまざまなテストや学校のテストは、伝統的なリテラシー観（漢字の読み書きや、言語テクストだけに限定した意味構築能力）に基づいて作られており、そうした指標のみでデジタル時代の子どもたちの読み書き能力を測ろうとしていることにあるだろう。もっと、マルチモダルな要素も取り入れた、新しいリテラシー（ニューリテラシー）の考え方が、学校教育の中にも必要になってきていることは確かだ。

ニューリテラシーの考え方は、１９９０年代の半ばから、ニュー・ロンドン・グループといわれる教育者グループによって提案された。多言語化、多文化、デジタル化の進む学校教育の中で、リテラシーとは、言語テクストだけに頼らないマルチモダルで、それぞれの状況に応じて柔軟に変化する社会実践だとする考え方である。

従来の学校教育では、フォーマルな言語・認知技術的な読み書きだけが取り上げられ、それ以外の、いわばインフォーマルな言語使用を排除してきた。しかし、ニューリテラシーでは、フォーマルとインフォーマルの言語使用は、二元化できるものではなく、連続しているものととらえられている。SNS上の言語使用や動画などを用いた表現も、学校でのリテラシーとは相容れないインフォーマルなものとして排除するのではなく、デジタル世代の言語リソースの一つとして、状況に応じて積極的に評価し、ツールとしても使っていこうとする。

ただ、ニューリテラシーは、従来の言語認知的なリテラシー能力をないがしろにするわけではないという点にも注意したい。むしろ、こうした言語認知的なリテラシー能力は、ニューリテラシーの核としての役割を果たす。その上に、マルチモダルな情報処理能力がプラスされる形でニューリテラシーは構築されると考える。なぜなら、高いニューリテラシー能力は、複雑なテクスト作成能力と読解力を要するからだ。

†学校でのSNS応用例

日本では、2020年現在、SNSを学校教育の場で積極的に取り入れることは、ほぼすべての学生がスマートフォンを所持している大学でもあまり浸透していないが、海外からは、SNSを学習実践に応用した例がいくつも報告されている。SNSを学習に取り入れることのメリットとしては、学習への動機づけが高まり、ディスカッションや課題への積極的な参加が見られる、生徒同士や生徒と教師のコミュニケーションや協働学習が促進される、生徒の自己発言・発信の機会が増える、不安感を軽減するなどが指摘されている。

たとえば、大学でTwitterを授業に取り入れたジャンコらの研究（Junco et al. 2011）では、SNSを使ったクラスの学生たちは、授業中ではなかなか掘り下げたり深く考えたりできないような質問やディスカッションをSNS上で頻繁に行ったり、身近な友達の枠を超えて、さまざまな学生との間でコミュニケーションをしたりしていた。さらに、SNSは、教室では普段発言しないようなシャイな学生の発言不安感を取り除く事にも役立っていた。そして、最終的にSNSを使ったグループのほうが、授業の内容理解も進んだという。

またエアスタッドらは、北欧の高校生たちの事例を出しながら、SNSなどでも頻繁に行われる再ミックシング（re-mixing）と呼ばれる行為、つまり、インターネット上のさまざまな記号（言語テクストだけでなく、図、イラスト、写真、動画、音楽など）の中から、課題に合わせてふさわしいものを選択し、マルチモダルなテクストを作成する過程で、読みなどの分析行為や、書くなどの産出行為が複雑に組み込まれていたことを示している（Erstad et al. 2007）。ここでは、「読む」や「書く」という行為が非常に広くとらえられていることがわかる。エアスタッドらは評価については言及していないが、当然評価も、技術的な言語知識にとどまらず、さまざまな言語・非言語要素の意味が一貫しているか、どのように相互補助的に有効に使われているかなど、広義な評価基準が必要になってくるだろう。

ＳＮＳは英語の授業でも大いに使えそうだ。すでに見たように、英語のＳＮＳのテクスト・スピークは、音韻認識を高める効果があることから、テクスト・スピークを規範の英語に「翻訳」するというアクティビティをフォニックス（英語の音と綴りとの関係性を理解させる指導）と並行してやってみるとか、実際にＳＮＳを使って英語で他国の人とやりとりしてみるなど、利用の仕方はいくらでも広げられる。肝心なことは、こうした社会実践に基づいたリテラシーのありかたを柔軟に組み込んだ評価の方法を構築することだろう。

†まとめ

SNS上の言語使用は、「打ちことば」と呼ばれ、非常に創造的でユニークな特徴を持っている。新しいコミュニケーション形態であり、今や、多くの子どもたちの生活の一部だといってもいいだろう。

ただ、SNSをはじめ、スマートフォンへの過剰依存は確かに潜在的な問題を含んでいる。デジタル世代のSNS使用は動画中心へとますます加速化している。したがって、SNS以外でテクストに触れる機会がないと、思考や学習の土台となる言語認知能力がしっかり身につかない可能性が高くなる。そうした状況をきちんと把握し、効果的な対策を打たないと、テクストを読むこと自体が苦痛となる子どもたちが増えてしまうかもしれない。SNSの打ちことばだけでなく、さまざまなタイプの言語テクストに触れる機会を十分に確保していくことが大切だろう。また、ある程度の長さのテクストから意味を構築するための耐久力を培う練習は不可欠だ。そもそも学習とは、意味を構築することなのだから。

その一方で、ただ、むやみにスマートフォンをデジタル世代から排除しようというのは、あまり現実的ではないし、また必ずしも生産的ではないだろう。SNSもスマートフォンも使い方次第だといえる。過剰依存を避ける一方で、スマートフォンを上手に学習ツールとして使っていく方法も模索するべきである。テクノロジーに流されるのではなく、テクノロジーを主体的に使いこなせる知識と自律性を育てることが必要だ。

繰り返しになるが、従来の言語認知的な能力を土台とした、新しいマルチモダルの「ニューリテラシー」の構築がテクノロジー時代には不可欠なのだ。受動的なSNSの使用におぼれているだけでは、ニューリテラシーは育たないし、それと同時に、学校教育も発想を変えていかないと、時代のニーズに応じたニューリテラシー育成の支援ができない。

次章では、デジタル世代に大人気のゲームについて見ていくことにする。ゲームは単なる時間の無駄にしかならないのか。それとも、有効に使う方法はあるのだろうか？

第5章

デジタル・ゲームは時間の無駄か？

1 デジタル世代のゲーム使用の実態

†ゲームの大きな影響力

人類の歴史はゲームとともにあった。ゲームは、古代からどの文化にも存在しており、その種類は非常に多岐にわたっている。人間は古代から、認知的、社会的、物理的なさまざまなスキルを身につけるためにゲームという手段を使ってきた。人間の作ったあらゆる制度は、ゲームの中核である「遊び」から発達したと言っても過言ではないだろう。

デジタル・ゲームは、長いゲームの歴史の中ではかなりの新参者だが、デジタル世代への影響力は多大だ。『デジタルコンテンツ白書2020』によれば、2019年の国内ゲームコンテンツの市場規模は2兆1572億円に上る巨大なものであり、今後も拡大が見込まれる（デジタルコンテンツ協会2020）。デジタル・ゲームを複数のプレイヤーで競いあうeスポーツ（electronic sports）も、デジタル世代の間で人気は膨れ上がっている。eスポーツの観戦人口は2020年ですでに世界で4・9億人を超えた（Influencer Marketing Hub, 2020）。2023年には、観戦者数は6・5億人ほどになると推定されている。デジタル時代の多くの若者にとって、ゲームは生活の一部になっているといってもいいだろう。2025年までに、全世界では、ゲーム産業の市場規模は30兆円を超すとの予想もでている。

その一方で、ゲームに長時間没頭することの弊害も心配されている。ゲームの子どもの発達への影響は、攻撃性や依存症など、メンタルヘルスなどの分野での研究が多いが、本章では、言語発達・学習に焦点を絞り、デジタル・ゲームとの関係を見ていくことにする。やはり、ゲームは単なる時間の無駄でしかないのだろうか。それとも、ゲームは、子どもの言語発達や言語学習の助けになるのだろうか。助けになるとすれば、ゲームを使った言語学習の未来像とはどんなものだろうか。

†ゲームとは何か?

そもそもゲームとは何をさすのだろう。一般的なイメージとしては、ゲームはゴールとルールを持った遊びだと考えられる。ただ、実はゲームを厳密に定義しようとするとかなり難しい。トランプなどのカード・ゲームもあれば、チェスなどのボードゲームもある。パズルもゲームだし、スポーツやオリンピックで行われる競技もゲームだ。言語哲学者のヴィトゲンシュタインは、こうしたいろいろなゲーム例を見渡すと、それぞれ似ている部分もあるが、異なる部分もあり、すべてに共通するような特徴は見出せないという（Wittgenstein, 1953/2001）。これらは、なんとなく「ゲーム的」な要素で、相互的に緩やかなつながりを持っている集合体なのだという。この考えにそえば、ゲームの意味する範囲はとても広くなる。

そのような中で、研究者は、ゲームの集合体をつなげている要素の割り出しを行ってきた。おそらく、ゲームの中核をなす要素に「遊び」があることに意義を唱える人はいないだろう。「遊び」に加えて、「競争」や「対立」の要素を挙げる人もいるし、「インタラクション（人と人との相互作用）」を挙げる人もいる。「目的達成」や、「意思決定」を要素として加える人もいる。さまざまな研究者の定義を比較検討した上で、ガリスらは、ファンタジー、ルール、ゴール、感覚に訴える刺激、挑戦、ミステリー、そして制御（コントロール）をゲームの要素として挙げている（Garris et al., 2002）。

ヴィトゲンシュタインによると、私たちの言語活動もゲームに参加しているのと同じようなものだという。ことばの意味は、その語に対応する対象があらかじめ決まっているものではなく、人は使うことでその意味を習得していく。使いながら、どのようにそのことばが使われるのか、交わされているのかに関するルールを体得する。このルールを持ったことばの使用を「言語ゲーム」という。言語ゲームに参加することで、私たちはことばの意味を理解する。言語の使用そのものがゲームであるということになるだろう。

†デジタル・ゲームとその種類

デジタル・ゲームのはしりは、1950年代後半にさかのぼることができるが、1970年代になって、徐々に多くの人に知られるようになった。家庭用ゲーム機やパソコンの普及に伴い、1980年代から、デジタル・ゲームは、急速な勢いで家庭に入り込んでいった。2000年以降は、スマートフォンやタブレット上でゲームが楽しめるようになり、爆発的な人気を博すようになった。

デジタル・ゲームは多種多様で、さまざまな方法で分類できる。アクションゲーム、アドベンチャーゲーム、ロールプレイングゲームなど、ジャンル別に分類することもできるし、プレイヤーの構成状態によって、一人で行うシングルプレイヤー・ゲーム、複数の人で行うマルチプレイヤー・ゲーム、大人数で行う大規模多人数同時接続型ロールプレイング・ゲーム（Massively Multiplayer Online Role Playing Game, MMORG）と分類することもできる。カジュアル・ゲーム（短時間でできる簡単なゲーム）、ソーシャル・ゲーム（SNS上でできるゲーム）などタイプによって分別もできる。

ゲーム業界関係者や研究者は、ゲームの目的により、しばしばゲームをエンターテイメント・ゲームと、シリアス・ゲームとに大別する。主に娯楽目的で作られたゲームをエンターテイメント・ゲームという。コマーシャル・ゲームなどとも呼ばれる。おそらく、読者の多くが、デジタル・ゲームと聞いて、まず想起されるゲームは、この娯楽型のゲームではないだろうか。

一方、シリアス・ゲームは狭義には教育や情報の伝達を目的としたゲームで、指導用ゲーム、教育用ゲームなどともいわれる。漢字や英単語を教えるための、シンプルなクイズ形式のものから、大掛かりなシミュレーション型のものまで、こちらも多種多様である。注意したいのは、ここでいう「教育」とは、学校での教科教育にとどまらない点である。医学や公共政策、大学の運営や、軍事訓練のシミュレーションなど、その応用範囲は非常に広い。たとえば、アメリカの陸軍で新兵のリクルート用に作成されたAmerica's Army(STEAM, n.d.)は、射撃や軍事訓練の様子を現実味たっぷりに経験できる。Hazmat Hotzoneは消防士の訓練のためのシミュレーション・ゲームで、ニューヨーク市消防局で使用されている。企業でもリーダーの養成のために、さまざまなシリアス・ゲームが使われている。たとえば、Pacificは、アドベンチャー型のシリアス・ゲームで、飛行機墜落の後にたどり着いた無人島でのサバイバル経験を通して、リーダーシップとチームワークを学ぶという趣旨だ。このような例は枚挙にいとまがない。

エンターテイメント・ゲームとシリアス・ゲームという分類は、よく使われているものの、現実には、両者の境界線があいまいであることも事実だ。すべてのゲームは教育的な要素を持っているという考え方もある。そもそもシリアス（真面目な）という名称は、不真面目なゲームが存在するかのようで、学習は真面目なもの、遊びは不真面目なものという二元化された前提の上に成り立っており、この二元化自体がおかしいと考えることもできる（藤本２００７）。また、ゲームが教育的か否かは、ゲームそのものよりも、その使い方によるところが大きい。娯楽目的に作られたエンターテイメント・ゲームも、学習用に使えば、シリアス・ゲームに変身することができる。

†デジタル・ゲームの使用実態

では、デジタル世代は、実際どれくらいゲームをしているのだろうか。２０１９年に10歳から29歳の日本の若者５０９６人（特に10歳から18歳までのサンプル数が70％を超える）を対象に行われたアンケート調査（国立病院機構久里浜医療センター２０１９）によると、85％が過去12か月にデジタル・ゲームをしたと答えている。図５－１は、平日、休日のゲーム使用時間を男女別に示したものである。女子より男子のほうが使用時間が長く、また休日は平日より使用時間が長くなる。平日でも、男女平均すると、約１割の若者が４時間以上

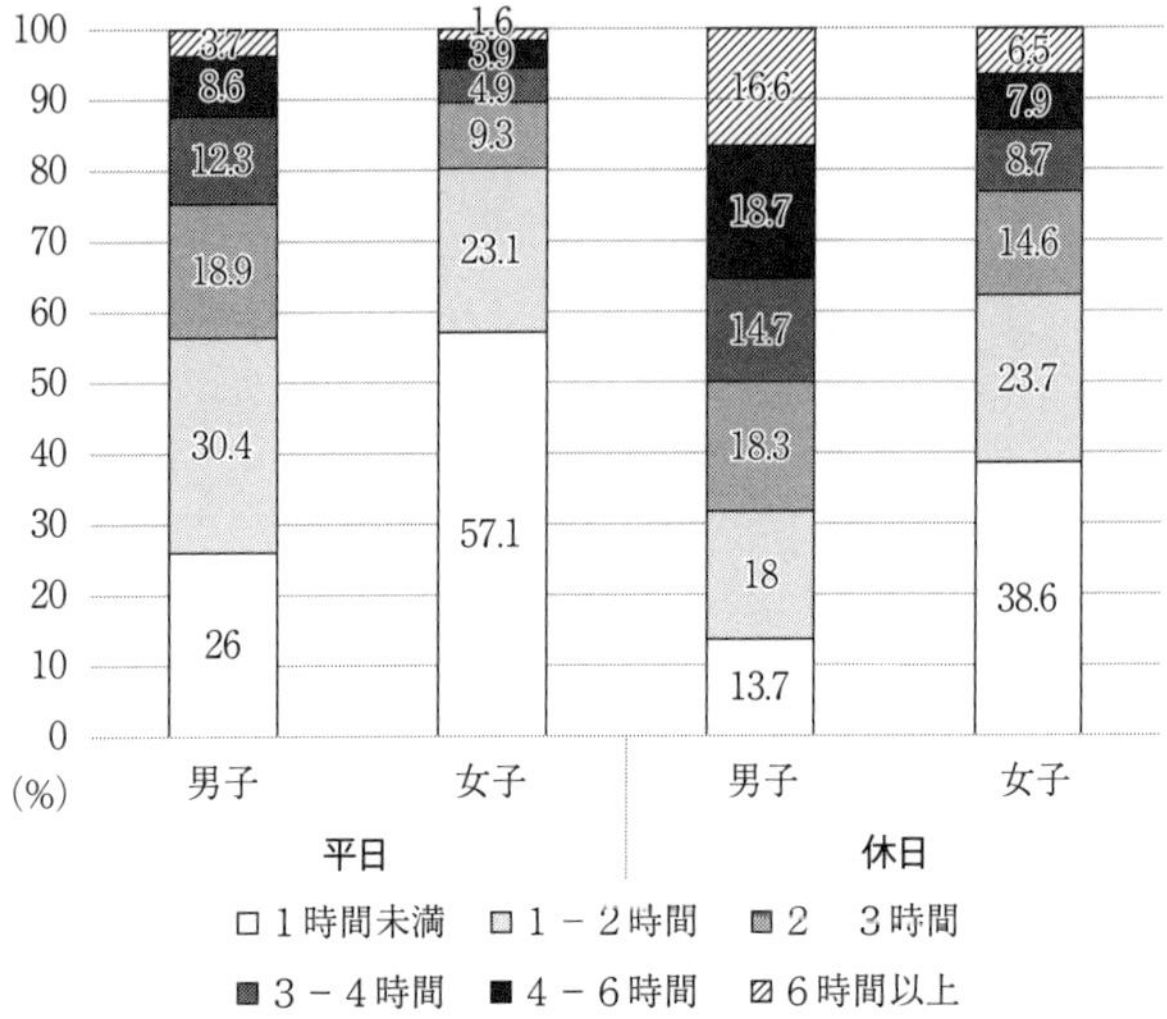

図5-1　ゲームの使用時間（男女別） 出典：国立病院機構久里浜医療センター（2019）をもとに著者作成

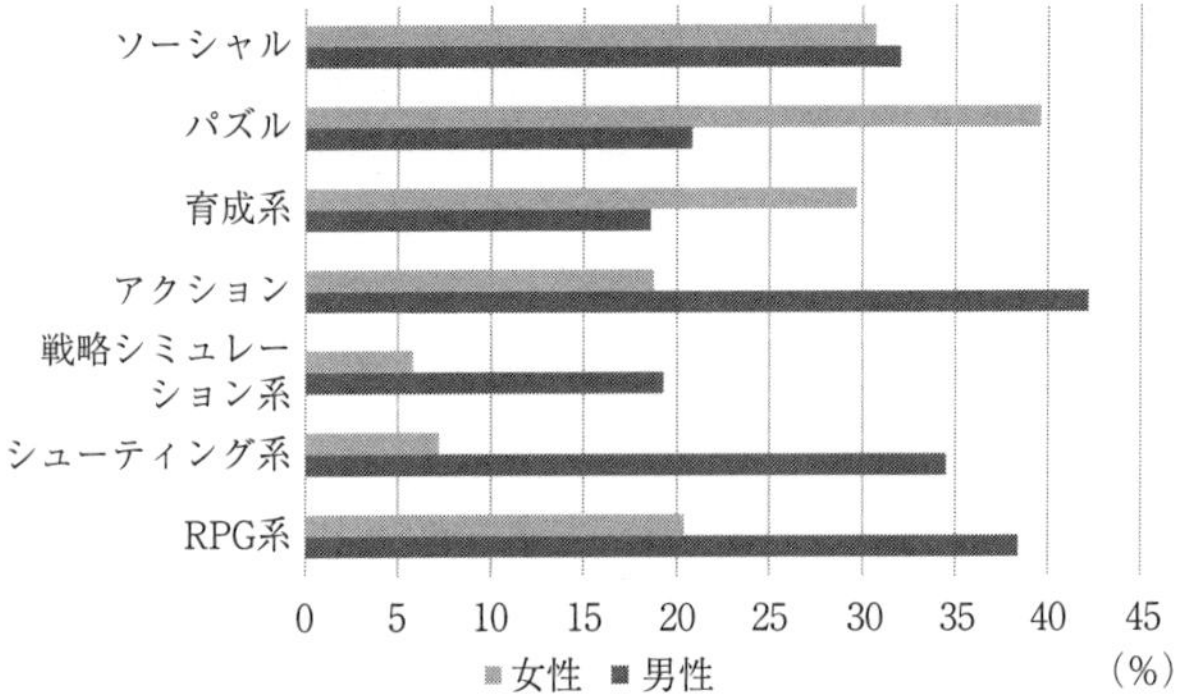

図5-2　プレイしているゲームのタイプ 出典：国立病院機構久里浜医療センター（2019）をもとに著者作成

ゲームをしている。回答者の大多数（81％）は、スマートフォンでゲームをしており、ゲーム機やパソコンがその後に続く。また2020年の新型コロナウイルス感染症の拡大後は、デジタル・ゲームに費やしている時間が長くなっている可能性は高いと予想される。

プレイしているゲームの種類は多岐にわたっている。図5－2に示したように、男女ともに人気があるのがソーシャル・ゲームである。その他、多くの男子はアクション・ゲーム、ロールプレイング・ゲーム（RPGゲーム）、シューティング・ゲームをしており、一方、女子の間では、パズルや育成系ゲーム（動物やアイドルグループを育てたりするゲーム）に人気がある。

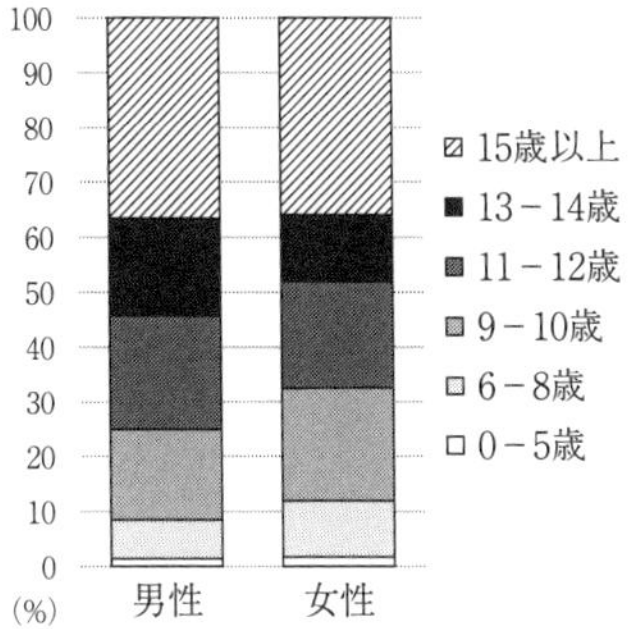

図5－3　オンラインゲームを始めた年齢（男女別）　出典：国立病院機構久里浜医療センター（2019）をもとに著者作成

図5－3は、オンラインのゲーム（インターネットに接続されているゲーム）を何歳からプレイし始めたのかを表したものである。小学生、またはそれ以前から開始している人が、ほぼ半数を占める。かなり早い時期から、オンラインゲームを始めている若者が多いことがわかる。この傾向は、スマートフォンの使用が、低年齢層に広がっている中で、今後加速化していく可能性が高い。

2 ゲームは学習に有効か？

†ゲームは教育現場で有効な学習ツールになりうるか

前記のアンケート調査では、「ゲームを学習や仕事のために使うことがありますか」といった質問が含まれていないので、学習目的のゲーム使用がどのくらいあるのかは、わからない。デジタルでないゲームは、日本でも小学校の外国語活動の時間などに取り入れられてきた。ただ、日本の学校教育では、一部の大学教員による実験的な試みなど非常に例外的なケースをのぞき、オンラインゲームを戦略的に指導に取り入れるという取り組みは、今のところほとんどないといってよいだろう。

一方、海外では、オンラインゲームを学校教育や家庭学習のなかに積極的に取り入れていこうという試みが増えてきており、オンラインゲームを使った学習に関する実証研究も多々見られるようになってきた。実は、前の章でもでてきたメタ分析（今回は、デジタル・ゲームを学習に何らかの形で取り入れたグループと、ゲームなしの従来の指導を行ったグループの間で、その効果の違いを調査したさまざまな実証研究の結果を総合的にまとめたもの）も、いろいろな学習分野（言語学習、数学、科学の学習など）で発表されている（Acquah & Kats, 2020; Tsai & Tsai, 2018など）。こうしたメタ分析からは、全体的に見ると、デジタル・ゲームを取り入れることで、より高い効果があったとする結果がでている。どうやら、デジタル・ゲームは、侮《あなど》れないようだ。

もちろん、すべてのゲームが学習につながるわけではないし、使い方も重要だ。使う対象にも注意を払う必要がある。ただ、これだけデジタル・ゲームが多くの子どもたちの心をつかみ、彼らが長時間プレイしているとすれば、そこには彼らにとって何か魅力的な要素があるはずだ。その要素を割り出すことで、どのようにしたら子どもたちの学習への意欲・動機を高めることができるのか、そのためのヒントを得られそうだ。また、デジタル・ゲームの出現以前にも、ゲームが学習のさまざまな場面で使われてきたことを考えると、ゲームに隠された学習要素を戦略的に取り入れることで、学習が促進されても不思議ではない。

次のセクションでは言語習得（特に第二言語や外国語習得）に焦点をあてて、言語習得で重要と考えられている要素が、ゲームに内在しているかどうかを検討してみよう。ここで第二言語・外国語習得に焦点をあてるのは、最近、この分野での研究が急速に進んでいるからである（Reinhardt, 2018）。たとえば、英語の学習にデジタル・ゲームを取り入れるといった状況を想定してみよう。もともと教育目的で作成されたシリアス・ゲームだけでなく、エンターテイメント・ゲームも対象とする。

†言語習得に重要な要素①意味のあるインプットと言語使用

「英語学習にデジタル・ゲームを使うのか」と懐疑的な読者も大勢いるに違いない。一方、海外での第二言語・外国語教育では、ゲームの学習ツールとしての可能性に期待する動きが最近進んでいる。ゲームには、言語習得で大切だと思われる要素がいくつも詰まっていると考えられているからだ。その要素の主なものを考えてみよう。

まず言語学習にどうしても不可欠な要素は、インプットの質と量、そして実際の場面で目標言語を使う機会を得ることだ。学習者は、習得したい言語で、意味のある、大量のインプットを得る必要がある。たくさん聞いて、たくさん読まなくてはならない。ただ、量だけでなく、質も重要だ。ここで「意味のある」インプットというのは、コミュニケーション上の目的を持ち、それを達成するための、言語を介在としたやりとりのことをさす。

このコミュニケーション上の目的を持った言語インプットが言語学習に大切だというのは、当たり前のような気がするが、実際の外国語の授業中のインプットには、「意味のない」ものも少なくない。教師が教えたい文法事項の入った単文を黒板に書いて、“Repeat after me.”のようにして、生徒に繰り返させたりすることは、コミュニケーション上の目的をもたないインプットだが、未だになくなっていない。小学校の英語活動でも、クラスメート同士で、“What is your name?”や、“How old are you?”などと質問し合う場面に出くわすことがある。クラス替えの直後ならともかく、同級生の名前は普通もう知っているだろうから、このやりとりには意味がない。年齢も同じだ。そこに新情報を得るという目的も、わくわく感もない。

この点、外国語でデジタル・ゲームを行う場合、もちろんゲームの種類にもよるが、特に対人型のゲームでは、自然な状況で多くのインプットを得ることが期待できる。実践的な場面で、言語を話す機会を得られる可能性もある。チームを組んで対戦する場合は、チーム・メンバーとのやりとりも、勝つための必然性を伴う。正確な情報を得たいという強い動機づけも生まれる。よく聞き取れなかった部分は、相手に説明や指示を繰り返してもらう必要もあるだろう。ゲーム内容やルールを理解したいという強い動機づけのもとに、必死でマニュアルを読むプレイヤーもいる。ゲームに興味を持てば、当然、授業以外でもゲームを行うことで、インプットの絶対量も、実際に使ってみる機会も増える可能性がでてくる。

デンマークの7歳から11歳までの小学生が、放課後や家庭でどのようなデジタルでの活動をしているのかを調べたある研究では、ゲームのエキスパートが英語を媒介してゲームを行っていることに触発されて、わざわざデンマーク語ではなく英語を選んでプレイしたり（英語でのほうが、いろいろな技や戦略などに関する情報を、デンマーク語より多く得られるらしい）、ゲーム・コミュニティーの一員になるために、機械翻訳などを使い、外国語でのやりとりにも挑戦するなど、目標を持った言語使用をしていることが報告されている。そして、デジタルの世界で英語の言語活動を活発に行っている児童ほど、学校での英語の授業は現実味に欠いていると感じており、興味を失う傾向にあることも記されている（Jensen, 2019）。

†言語習得に重要な要素②認知的にチャレンジングで、楽しいタスク

言語習得の重要な二つ目の要素は、言語は、認知的にチャレンジングで、楽しいタスクを行いながら、身につけていくのが効果的であるという点である。

言語教育には、タスク・ベースの言語教授法というものがある。これは日本をはじめ、多くの国で推奨されている教授法の一つだ。従来の文法中心、訳読中心の英語教育法では、実践的なコミュニケーション能力が身につかなかったとの反省から、コミュニケーション上意味のあるタスクを目標言語で行うことで、実践的なコミュニケーション能力を身につ

けることを狙いとしている。タスクを行いながら、言語を身につけることを目指すのである。デジタル・ゲームも、その種類によっては、目的を持った実践的な言語使用の場を提供するタスクの一つとして、有効な言語学習ツールになりうると考えられる。

ここでのキーワードは、「楽しい」だろう。日本の小学校の英語活動では、ビンゴ・ゲームなど、（デジタルではないものの）ゲームがよく使われているが、高学年の児童の間では、教材開発者や教師が期待するほど人気がないものも少なくない。どんなゲームでも、大抵、一回目は児童の反応は悪くない。これは新規効果ともいうべきもので、新しい試みだから興味を惹くにすぎない。そのため、2回目からは、急速に興味を失ってしまうことが少なくない。こうしたことが起こるのは、授業で導入されているゲームが、まず児童の知的レベルに合っていない点が一番大きな要因である。高学年になると、「面白い」ことの最大の要素は、単に滑稽であったり、バカげたことではなく、「認知的に挑戦しがいがある」という点であることを忘れてはいけない。

心理学では、ミハイル・チクセントミハイが提唱した「フロー状態」というものがある。これはタスクに高度に集中・没頭している状況をさし、心理的なエネルギーを100％注ぎ込むことで、フロー状態では能力のアップと幸福感が得られると考えられている。物事に熱中するあまり、食事をとるのも忘れて、気がついたら、日が暮れていたなどという経験は、誰しも持っているだろう。それが、フロー状態だ。チクセントミハイは、芸術・科学・スポーツなどの分野でエキスパートと呼ばれている人たちが、このフロー状況で仕事をしている状況を報告している（Csikszentmihalyi, 1990）。デジタル・ゲームでは、時間の経過も忘れ、このフロー状態に陥っているプレイヤーは珍しくない。究極の集中と「楽しさ」がここにある。

後で詳しく述べるが、子どもたちの心をつかんでいるデジタル・ゲームには、認知的要素のほかに、プレイヤーの興味を惹き、やる気にさせる要素が往々にして、たくさんつまっている。ステージごとに、1歩1歩パフォーマンスが上がっているのが可視化できることや、正解するとファンファーレが鳴ったり、他のプレイヤーから激励を受けるなど、即時にフィードバックが戻ってくることなどがその例である。

†言語習得に重要な要素③繰り返しの効用

言語学習には繰り返しが重要な役割を果たす。言語スピーチは、音の連続にすぎないが、乳幼児は、多くのスピーチを何度も繰り返して聞くことで、どの音とどの音が、音節の中に一緒に起こるのか、その統計的確率を巧みに利用しながら、単語と単語の切れ目を認識していく。人間の赤ちゃんは、さながら優秀な統計学者なのである。さまざまなインプットを繰り返し得ることで、語彙力も文法力も高まっていく。先に紹介した「タスク・ベースの言語教授法」でも、タスクは1回きりではなく、さまざまな形で繰り返し行うほうが、おしなべて効果が高いことが実証されている。

従来の言語学習で、教師が"Repeat after me."とやっていたのは、「繰り返し」の機会を与えるという点では、的外れではない。しかし、効果があまりなかったのは、目的がない繰り返しだったのと、そのため、コミュニケーション上の意味を持たない反復練習（単なるドリル）に陥ってしまっていたからだ。単なるドリルを続けるのはつまらない。

デジタル・ゲームの中には、繰り返しを苦にせずに楽しくプレイできる仕掛けを備えているものが少なくない。目的を持った繰り返しを設定すれば、子どもたちは、「繰り返し」を積極的に行う。筆者は、4歳から12歳までの日本の子どもたちが、英語学習目的に作られたゲームをプレイしたデータを分析する機会があったが、その結果に驚愕したことがある（Butler et al., 2014）。ゲーム自体はかなり単純なものであったにもかかわらず、子どもたちは、1ゲームにつき、平均100回以上も繰り返してプレイしていたのである。

この時分析したゲームはどれも、1回プレイするだけで、複数の英単語やフレーズを何度も繰り返し聞くことができるものであった。それを一つのゲームにつき、100回以上プレイしているわけだから、そのインプット量はかなりのものになる。英語の授業中にそれだけの量を聞かせるのは到底無理だ。そして何よりも重要なのは、子どもたちが自発的に繰り返し聞いているという点だ。参加者数３９４５人中、ほぼすべての子どもたちが、満点をとれるようになるまでゲームを繰り返していた。単純なゲームでこれだけ繰り返してプレイしているのだから、もっと複雑なゲームになれば、繰り返す回数も増え、繰り返しの潜在的効果は大きくなると予想できる。

目的を持った「繰り返し」は、一回一回の繰り返しが、それぞれ違う意味を持つ。これをiteration（日本語では「繰り返し」または「反復」と訳されるが、いずれも本来の意味を汲み取ってはいない）と呼んで、単なる繰り返しを意味するrepetitionと区別している研究者もいる。このiterationが重要なのだ（Larsen-Freeman, 2012）。違いを理解するために、一つ例を紹介しよう。

ある時、都内の小学生に「浦島太郎」を英語で聞かせたことがある。彼らにとっては、かなり長くて難しい英語だった。それでも、「これは実はみんながよく知っているお話だよ」と話すと、それが何の話であるのかを当てたくて、子どもたちは何度も聞きたいとせがんだ。何回か聞いているうちに、子どもの一人が「なんか、turtle（亀）って言ってない?」と言う。すると次に聞いた時には、turtleが聞こえるかどうか、みんな注意して聞く。そして、実際多くの児童が、前回聞こえていなかったturtleが聞こえるようになる。

すると、その次にはsea（海）やshell（貝）など、海に関した単語が耳に入ってくる。その後さらに新しい情報を追加しながら、推測を働かせて、クラスの誰かが「浦島太郎」にたどり着く。浦島太郎の話だとわかった後で、また英語を聞くと、子どもたちは、かなり聞き取れていることに気づく。浦島太郎のあらすじがすでに頭に入っているので（これを心理学ではスキーマなどという）、それを頼りに理解を促進することができたのだ。

この時、子どもたちは、10回程度、同じ英語でのストーリーを聞いた。しかし、1回1回の聞き取りが、違う意味と目的を持っていた。これが、iterationだ。単なるリピートとは違う。そして、子どもに人気のあるデジタル・ゲームには（何度もやりたくなってしまうことを考えると）、潜在的なiterationの機会が多くつまっている可能性がある。

3　学習へのゲーム応用の潮流

†長時間プレイヤーの認知プロセスの特徴

マーク・プレンスキーの『デジタル・ゲーム学習』は、ゲームを学習に応用する動きを欧米で加速したともいわれる影響力のある著書である（Prensky, 2001）。ずいぶん前に書かれた本ではあるが、現在にも通じるところが多い。この著書の中で、小さいころから、デジタル・ゲームに親しんでいる世代を観察した結果、プレンスキーは、この世代は、それ以前の世代とは、異なった認知プロセスや学習に対する考え・態度を持っているのではないかと提唱している。プレンスキーによれば、その違いは、次のようなものだという。

ゲームに慣れ親しんできた世代は、情報処理のスピードが速いだけでなく、多くの情報を同時並行的に処理する。音楽を聴きながら、宿題をするなどだ。ただ、情報へのアクセスは、順序だてててというより、ランダムに行う傾向があり、テクストよりまず画像に飛びつく。プレンスキーは、ハイパーリンクの多用などが、こうした思考パターンに影響を与えていると考えている。情報へのアクセスは積極的であり、マニュアルを読まずに、とにかくテクノロジーは使いながら体得する。情報の入手も、問題解決も、ネット上のつながりを利用しながら、効率的に進める。ファンタジー（空想上・非現実の世界）への嗜好が強く、非現実的な要素を現実に持ち込んだりする（オフィス・デザインなどに、仮想空間を模したものを利用するなど）。コンピューターは友達で、コンピューターを使うことでリラックスでき、楽しい。遊びと仕事は一体で、価値があると認識している限り、時間の投与を惜しまない。

プレンスキーの比較は、多少、センセーショナルに単純化しているきらいもあり、実証

	デジタル・ゲームで育ってきた世代	それ以前の世代
情報処理スピード	非常に高速なスピード	従来のスピード
情報処理プロセス	同時並行型（平行処理）のプロセス	直線型（単線型）のプロセス
テクストとグラフィックへの処理嗜好	テクストよりも映像優先	テクスト優先
情報アクセス方法	ランダムなアクセス	段階的なアクセス
ネットワークへの嗜好	他人とのつながり重視	単独嗜好
積極性・自律性	能動的	受動的
学習・仕事の概念	遊びと学習・仕事の区別なし	学習・仕事は遊びとは別
学習・仕事への態度	メリットを感じなければやらない	我慢してもやるもの
現実と非現実への嗜好	ファンタジー嗜好	現実嗜好
テクノロジーへの態度	テクノロジーは友達	テクノロジーは敵

表5-1　プレンスキーによるデジタル・ゲームで育ってきた世代とそれ以前の世代の違い　出典：Prensky, M.（2001）

的な検証に基づいているものではないので、そのまま鵜呑《うの》みにすることはできない。しかし、デジタル世代（特にゲームを多く行っている子どもたち）が、認知プロセスや学習嗜好に、以前には見られなかった特徴を持っているのではないかという指摘は、一考に値する。これまでの章で紹介してきた研究と合致するものもある。デジタル世代が、速いスピードで、ウェブサイトを次から次へと移動すること、テクスト中心より動画中心のSNSのほうが彼らの間では人気が高かったことなどを思い出していただきたい。もし、プレンスキーの指摘が正しいとすると、これからの教育のありかたにも、デジタル世代の認知プロセスや嗜好に合った方法を、ある程度積極的に取り入れていく必要がでてくると考えられる。

†子どもの視線から見た英語学習デジタル・ゲーム

そこで、筆者は共同研究者らとともに、日本のある公立小学校の6年生に、少し後輩になる5年生のために、英語の単語を学習するためのデジタル・ゲームをデザインしてもらうことにした（Butler, 2015, 2017）。「英語単語学習」という明解な学習目的を持ったシリアス・ゲームのデザインである。

このプロジェクトには二つの目的があった。一つは、ゲームが楽しい理由と、単語を習得するには何をすればいいのかを、子ども同士で話し合いをさせることによって、彼らが

時間目	めあて
1	ゲームがなぜおもしろいのかを考える（ゲーム動機づけの要素を見出す）
2	英語の単語を学習するにはどのような方略が必要かを考える（学びの要素を見出す）
3	グループでゲームをデザインし、絵コンテにまとめる
4	グループごとにデザインを発表し、互いに評価（ピア評価）を行う。

表5－2　デジタルゲーム・デザインの流れ

考える動機づけの要素と学びの要素を割り出すことである。二つ目は、子どもたちに、自分たちで割り出した動機づけの要素と学習の要素の両方を取り入れて、グループでデジタルのシリアス・ゲームをデザインしてもらうことである。つまり、デジタル世代の視線から、デジタル・ゲームの学習への応用を模索してみようという試みだ。この過程で、プレンスキーの言う彼らの学習や認知への嗜好も、見えてくるかもしれないと考えた。

ゲームデザインは、表5－2でまとめたように「総合的な学習の時間」の4時間分を割いて行われた。

まず1時間目では、プロジェクト全体の説明をした後、子どもたちはグループに分かれて、既成のシリアス・ゲームをいくつかプレイしながら、なぜゲームは楽しいのか、ゲームが持つ動機づけの要素を、グループで話し合った。その後、授業の最後に、絵カードを使いながら、35語もの新規の英単語を紹介した。

図5-4　子どもたちのピア評価シート例　すべての児童がマス目いっぱいにクラスメートへのフィードバックを書いてくれた。いいゲーム・デザインを実際にゲーム化するということが、高い動機づけにつながったと思われる。

これほどたくさんの単語をわざと導入したのは、従来の方法ではなく、なにか創意工夫をして覚える手立てを考えさせるきっかけを与える意図があったからである。宿題として、35語の中から自分の好きな5語を選んで覚えてくるように指示した。その際、「どのように覚えたか」を次の授業で話し合うので、覚え方（方略）に注意してほしいと頼んだ。

2時間目では、単語を使う際に使った方略をグループで話し合い、「学習の要素」を割り出してもらった。その後、もう一度既成のシリアス・ゲームをプレイしながら、自分たちでリストアップした学習の要素がどのように組み込まれているか（またはいないか）をグループで話し合った。2時間目の終わりには、プロのゲーム・デザイナーを招いて、プロが企画の発案・提案を行う際に使う「絵コンテ」の作り方を直伝してもらった。

3時間目に、いよいよ子どもたちにグループでデジタル・ゲームをデザインしてもらった。英単語を覚える学習用ゲームという明確な目的を持ったゲームの作成であるから、自分たちが見出した「ゲーム要素」と「学び要素」を必ず一つは融合させて、ゲーム・デザインすることを目標とした。子どもたちには、1時間目に使った35語にとらわれることなく、自分たちの好きな単語を学習できるゲームを作ってもらった。

最後の時間には、グループ発表が行われた。子どもたちはグループごとにデザイン内容を絵コンテにまとめ、それを使って発表し、クラスメートの質問に答えた。発表後、ピア評価（クラスメート同士で評価をし合う）を行った。子どもたちは、優れたデザインを選ぶため、自分たちでリストアップした「ゲーム要素」と「学び要素」がどのように効果的にゲームデザインに反映されているかを基準に審査を行った。自分たちのデザインに関しては、ピア評価と同じ基準を使って自己評価をしてもらった（この後、子どもたちのデザインをもとに、実際にプロに頼んでデジタル・ゲームを作成してもらい、同じ学校の5年生に評価をしてもらった）。

†子どもたちが考えたゲームに内在する動機づけの要素と学びの要素

まず、子どもたちが話し合いの中で考えたゲーム要素(動機づけの要素)と学びの要素がどのようなものであったかを見てみよう。6年生全3クラスで行ったが、どのクラスでも、ほぼ同じリストが出来上がった。それをまとめたものが図5-5である。

ゲーム要素は、ゲーム理論家が盛んに議論しているような内容がほぼすべて網羅されている。小学生が自らの経験から、こうした要素をリスト化できるとは驚くばかりだ。一方、大人の研究者があまり重視していないものもある。図中、⑭の「繰り返し、再生」は、学びの要素としてもでてくるが、ここで特筆すべきは、子どもたちは、繰り返すこと自体が、楽しいと感じている点である。さらに、⑮のゲームの利便性や⑯のリラックス効果、ストレス解消効果に関しては、プレンスキーの予想通り、デジタル世代のテクノロジーに対する態度を反映しているものだといえるだろう。

学びの要素に関しても、言語教育学で、言語習得のストラテジーとして語られてきたものが、ほぼすべて網羅されている。子どもたちの話し合いの中からは、jelly fish(くらげ)を、ジェリー上のスポンジっぽいものを想像しながら覚えたり(イメージング戦略)、floor(床)とflour(小麦)や、sparrow(すずめ)とswallow(つばめ)など、音や種類の似て

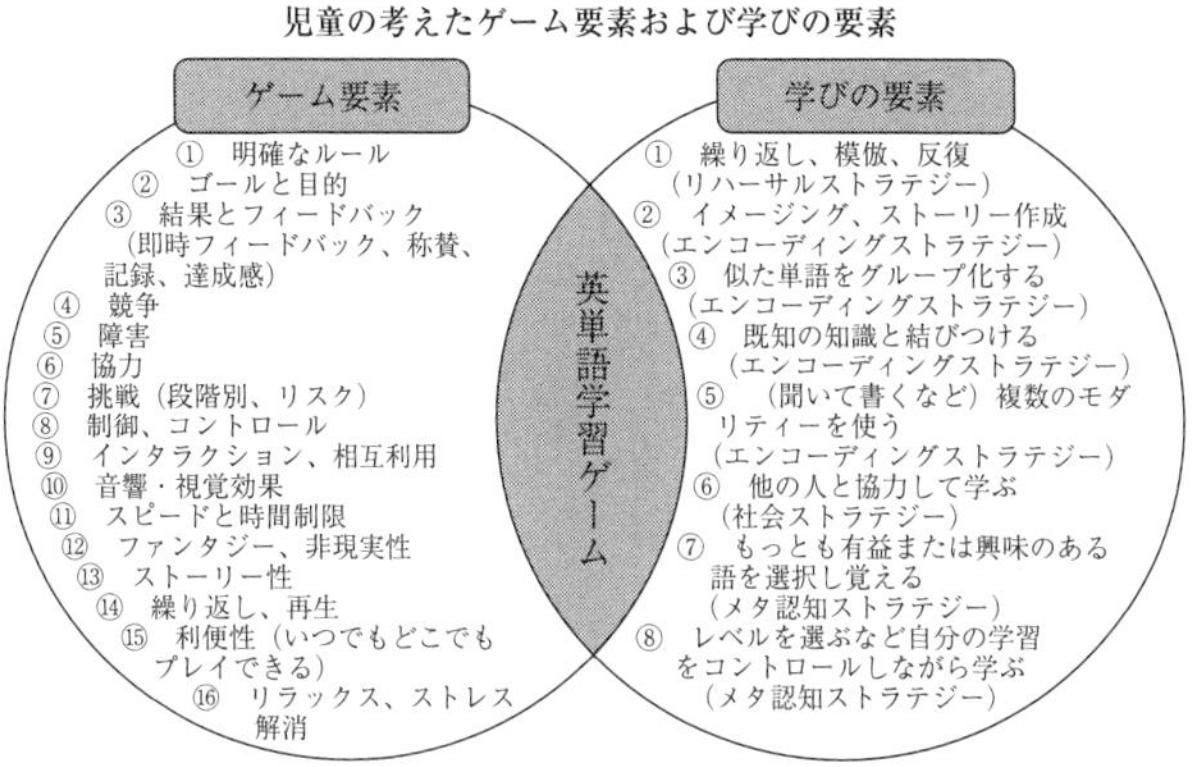

図5-5 子どもたちが考えたゲーム要素と学びの要素 注：「学びの要素」のストラテジーの分類は、子どもたちの発言に基づき、著者が既存の文献に基づき付け加えた。

いるものを一緒に覚えたり（グルーピング戦略）、知っているbicycleから「tricycleとunicycleはcycleの部分が一緒だし、自転車っぽいものだと思ったから」などと推測して、言語学者顔負けの形態素分析を行っている児童もいた。「体でアルファベットを作りながら覚えた」や「弟とキャッチボールをしながら、リズムをとって覚えた」など、身体を使った戦略は、あまり大人では見られない。この年齢ならではの方略だろう。「アメリカに住んでいた友だちに助けてもらって覚えた」など、ネットワークを上手に利用したケースもちらほら見られた。プレンスキーは、デジタル世代は、ネットワークの活用が得意と指摘していたが、その特徴が垣間見られたともいえる。

メタ認知ストラテジーに分類できる「もっとも有益または興味のあるものを選ぶ」や「レベルを選ぶなど自分の学習をコントロールしながら学ぶ」点などは、子どもたちの会話から、彼らが非常に重視していることがうかがえた。自分の学びたいことを、自分のやり方で学ぶことへの嗜好が強いことが見て取れる。

†子どもたちが重視するデジタル・ゲーム要素

それぞれのクラスが5グループに分かれてゲームをデザインしたので、3クラス全部で15のデザインが出来上がった。すべてのデザインには、図5-5の中の①明解なルール、②ゴールと目的、③結果とフィードバック、④競争、⑩音響・視覚効果、⑪スピードと時間制限が組み込まれていた。またピア評価の結果を分析したところ、児童がクラスメートのデザインで特に評価した要素は、(デザインにより当然多少異なるものの) ⑦挑戦 (段階別、リスク)、⑬ストーリー性または⑫ファンタジー性、そして⑧コントロール (自分で自分の学習を選択・コントロールできること) であった。

子どもたちのゲームデザインには、豊かな創造性があふれていた。ゲームのタイトル一つ取っても、英語単語学習ゲームなのに、「社長の通勤」や「ジョニーの冒険」「キノコUP」など、「どんなゲームなのだろう」と興味を抱かずにはいられないものが並んでいる。

そして子どもたちが学習理論に通じる考え方を持ちながらゲーム・デザインをしていた点も、注目に値する。

†ストーリーの重要さ

まず、子どもたちにとってストーリー性が非常に大切な要素である点は興味深い。単語はコンテクストの中で意味を持つということを認識しているようだ。たとえば、児童の間で高い評価を受けたデザインの一つに、あるグループによって作られた「童話で学ぼう」というデザインがあった。これは10の童話の中から自分の好きな童話を選び、そのストーリーを音声・画像で楽しみながら、その中にでてくる単語を覚えるというものである。

このゲームで重要な点は、ストーリーを自分で選択できること（コントロール）、そしてターゲットとなる単語が、ストーリーの中ででてくることだ（ストーリー性）。ストーリーによってでてくる単語の難易度が異なるように設定されているので、単語の難易度で、やさしいものから難しいものへ段階的に進めてもよいし、難易度など無視して、自分が面白そうだと思うストーリーから始めてもよい。

ストーリーを使った理由として、このチームはクラスメートからの質問に対して「単語は、ストーリーの中だとたくさんでてきても、そんなに難しいと思わないで覚えられると思うから」と言っていた。言語習得における、意味のあるコンテクストの重要性を認識している発言である。さらに、いろんな国の童話を知ること自体が楽しいからだということも言っていた。ここで大切なのは、ストーリーが先にあることである。ストーリーを楽しみたいことが先で、そこに英語の学習がついてくるのであって、その逆ではない。

この発想は、従来の英語教育のやり方とは異なる。従来の英語教育では、まず、学習者に教えたい語彙や文法事項が決められて、そうした語彙や文法を含んだテクストが作られる。そのため、不自然なテクストになったり、面白みに欠けていたりすることが少なくない。特に初級者対象のものは、そうなりやすい。ただ、本来外国語は、「わからない」ことがあるのが普通で、「わかるようになりたい」ものの中から、必要に応じてわかるための道具（つまり語彙や文法）を後づけで取り出せばよいはずなのだ。

さらに、このゲーム案の面白い点は、「童話で学ぼう」というメインのゲームのほかに、「Mr.ハゲ?」「スゴロクで世界一周!」「English ブロック」という3つのサブゲームが付随していることである。これらのサブゲームは、それぞれ学習ターゲットである単語の「意味と音」、「意味と綴り」、「音と綴り」との関係を身につけることを目的としている。プレイヤーは、このサブゲームをどれでも、いつでも、何回でもやってよい。ただし、どのサブゲームにも時間制限があり、即座にフィードバックがもらえるようになっている。

「Mr.ハゲ?」は、意味と音とを結びつけるクイズ形式のゲームである。Mr.ハゲとは、プレイヤーのアバターのことで、単語を覚えるにしたがって、髪の毛が伸びていく。しかし、このゲームを毎日行わないと、髪が薄くなってしまう。このチームの子どもたちによれば、英語は毎日少しずつやることが大切だから、それをプレイヤーに促すためだという。さらに、正解が得られないと、髪の毛が白髪になってしまう。ただし、繰り返しゲームを行って正解できれば、今度は髪を自分の好きな色に染めてよいことになっている。子どもたちの間ではプレイヤーのアバターをいかに格好良く見せるような仕掛けにするかが、しばしば大きな課題となっていた。このことから、アバターの見栄えがこの年代の子どもたちにとって、いかに重要な動機づけの要因になっているかがよくわかる。

「スゴロクで世界一周!」は、おなじみのすごろくゲームだが、ここでは単語の意味と綴りに関する問題がでてきて、それに答えながら世界一周ができるようになっている。正解できれば何マスか進み、不正解なら何マスか後戻りする。すごろくのよいところは、進捗状況が一目でわかるところだという。正解を重ねながら、動画もでてきて、世界旅行を楽しめるというわけだ。

「English ブロック」は、Tetris ゲーム(ポピュラーなデジタルゲーム)からヒントを得たもので、綴りと音との関係をマスターするためのゲームとなっている。スクリーンの上方から、英語のアルファベットが、1つずつ、またはかたまりで落ちてくる。それと同時に、ターゲットとなる単語の音が聞こえる。プレイヤーは、落ちてくるアルファベットをできるだけ早く、正しい順序に並べて、正しい綴りにする。文字数や落下スピードは難易度に応じて3レベルに分かれており、プレイヤーは、自分の熟達度に合わせて、ふさわしいレベルを選択できる。ここでも、マルチメディアの特徴を使いながら、自分の学習を自分でコントロールしたいという姿勢が見て取れる。

この「童話で学ぼう」は、ストーリーを楽しむことを第一義としながら、恣意的な意味、音、綴りとの関係性は、ゲーム仕立てで楽しくマスターしてしまおうという複合的なゲーム案であった。

この他にも、小さな村出身の主人公が王様に認められるまでのアドベンチャーを繰り広げる「イングリッシュ迷路」や、誘拐されてしまった雪だるまを救出する「ジョニーの冒険」など、オリジナルのストーリーを作成したグループも少なくなかった。「ジョニーの冒険」では、被害者は雪だるまなので、溶けてしまわないうちに救出しなくてはいけない。そもそも、なぜ雪だるまが誘拐されたのか、知りたくなるではないか。救出のためのヒントがどこに隠されているかを聞き取るために、リスニングにも力が入るというものだ。教科書にはないワクワク感が、子どものデザインしたゲームのストーリーにはある。

†意外性の持つ意外な役割

子どもたちのゲーム・デザインに見られたもう一つの興味深い特徴は、意外性の要素を加味している点である。意外性は、ゲーム理論家の間で比較的最近議論されていることだが、この点を児童がゲーム・デザインに実際取り込み、さらに互いに評価していることには驚く。われわれ教師や保護者は、学習が良い成果を収めているならば、ゲームの得点・成績も良くなるというのが当然だと思っている。ところが、子どもたちのゲームデザインでは、しばしば、この「当たり前」と思われる前提が覆されていた。いわば、アクシデントが巧妙に使われていたのである。どういうことか、彼らのもう一つのデザイン例で見てみよう。

「社長の通勤」は、社長が通勤の途中（迷路になっている）でいろいろな英語クイズをこなしながら、就業開始時間までに会社にたどり着くことをゴールにしたゲームである。プレイヤーは、自分の習熟度、または嗜好により、従業員が数名しかいない小さな企業の社長を選ぶこともできるし、大企業の社長になることもできる。小規模会社の社長なら、徒歩で会社に行くが、多国籍大企業の社長ともなるとプライベート・ジェットで会社に向かう。難易度により、英語の単語も複雑になり、迷路も複雑化し（つまり問題数が増える）、時間制限もきつくなる。ここでもプレイヤーが、学習の目標もペースも自分で選択できるようにデザインされていることがわかる。

このゲームでは、社長が就業開始時刻までに会社に着けない場合は、会社が倒産してしまうことになっている。そのため従業員が会社の前で、社長にエールを送る。そのように社会的プレッシャーの要素を加えているのは、ある意味で日本的な特徴だともいえるかもしれない。いずれにせよ、日本のコンテクストの中では、こうした社会的プレッシャーを与えることが学習に効果的だと子どもたちが考えている点が面白い。

ここで注目したいのは、社長であるプレイヤーが、自分で解けない問題があった場合には、従業員に助けを求めることができる点である。プレンスキーの言うネットワークの利用である。ただ、従業員に助けを求めた場合、その従業員に報酬（ゲームポイント）を払わなくてはならない。副社長の助けを求める場合は、多くのポイントをあげなくてはいけないが、副社長が正解を持っているとは限らない。わずかなポイントしか支払わないで済む入社したての新人社員が、実は正解を持っていたりする。誰が正解を持っているのかわからないので、ここにギャンブル性、意外性が生まれる。それまで順調に進んできても、最後でどんでん返しを食らうということがあり得るように仕組まれている。

この意外性の要素をなぜ取り入れたのかをクラスメートに質問されたチーム・リーダー

は、「こうしておけば、英語があまり得意でない人も、このゲームが楽しめるからです」と答えた。こうした意外性が、ただ面白そうだからというのではなく、英語を得意としないクラスメートへの動機づけ（配慮といってもいいだろう）につながるという発想にも注目したい。意外性が、最初の授業の「ゲーム要素」のリストにあがってこなかったのは、既成のシリアス・ゲームの中には、意外性の要素が入っていなかったからだろう。意外性は「社長の通勤」の他にも、自動車レースで急にガソリンが切れて車が止まってしまったりなど、他のチームのゲーム・デザインにも組み入れられていた。そして重要なことは、意外性の要素が子どもたちの間で互いに高く評価されていたことである。

†学習に競争はいらない

最後に特筆すべきは、競争に関することである。デジタル・ゲームでは、多くの場合、プレイヤーが個人またはグループ間で競争する。競争の要素は、ゲームの大きな役割を果たすことが多い。ところが、今回のプロジェクトで子どもがデザインしたゲームでは、競争の要素は強調されていなかった。質疑応答の際に、競争は学習の際に必要ないと明確に答えているチームもあった。これは、昨今の学校教育の、競争をさせない、あおらないという方針を反映しているのかもしれない。いずれにせよ、ゲーム・デザインからは、他人との競争やランキングよりも、自己目標の達成を重視する子どもたちの姿勢がうかがえる。

そもそも今回の子どもたちによるゲーム・デザインでは、他の学習者とのインタラクションがあまりなかったことに気づかれた読者もいただろう。これはおそらく、最初に子どもたちに試してもらったシリアス・ゲームにインタラクションの要素が入っていなかったことが一因と思われる。ただ、インタラクション自体は子どもたちも重要と考えていたようだ。

余談だが、この後、子どもたちのデザインをもとに、プロの力を借りてデジタル・ゲームを作り、同じ学校の5年生に評価してもらった。しかし、その際、私たちは教師がよくやりがちな過ちを犯してしまった。どのゲームデザインも素晴らしかったので、一つのデザインを選ぶことができなかったのである。そこで、子どもたちの複数のデザインをパッチワーク的につなぎ合わせたデジタル・ゲームを作ってしまった。このゲームを評価してくれた5年生の評判は悪くはなかったが、後日ゲームを試す機会のあった一部の6年生(デザインしてくれたメンバーの一部)からは、インタラクティブな要素が足りない、自由選択度をもっと増やすべきなどとの厳しい指摘をもらった。ゲーム化する過程で、どうやら大人の視点が入ってしまったようだ。

†外国語学習におけるデジタル・ゲームの可能性

このゲームデザイン・プロジェクトでは、子どもたちがすでに研究者顔負けの「外国語学習理論」に通ずる発想をすることができ、マルチメディアの力などゲーム要素を有意義に活用しながら、デジタル・ゲームを使った学習をデザインできることがわかった。子どもたちは、ストーリー性や意外性を重視し、自分で自らの学習をコントロールしたいという欲求を示していた。子どもたちは自分の学びたい語彙を、好きな方法で、好きなペースで学習したいのである。個人のニーズに応えるという形の学習には、デジタルは強みを発揮することができるだろう。個々の学習者の学習ペースとニーズに合わせ、プレッシャーを感じずに楽しく学習できるという観点から、ゲームは、評価のツールとしてもその応用が始まっている。ヨーロッパでは大規模な実験が行われており、子どもからの反応は良いという（Courtney & Graham, 2019）。

さらに興味深いことに、デジタル・ゲームのプレイ頻度により認知機能にも違いがでてきていることが、徐々に報告されている。たとえば7〜10歳のイタリアの小学生（191名）を対象としたある研究では、デジタル・ゲームのヘビー・ユーザーの子は、それほど頻繁にゲームをしない子に比べ、一部の認知機能（画像記憶、ネーミングと呼ばれる、対象となる語に速くアクセスする能力、論理分析力など）に優れているという（Di Giacomo et al. 2017）。

ただ、デジタル・ゲームと外国語の語彙学習との関係を調べた研究をメタ分析した結果（Tsai & Tsai, 2018）によると、全体的には、デジタルゲーム・ベースの語彙学習は、そうでない伝統的な語彙学習より効果的だといえるが、その効果の度合いは、さまざまな条件によって異なってくるという。たとえば、日本で市場に出回っている外国語学習を目的としたシリアス・ゲームは、単純な反復練習（ドリル的なもの）が多いのが現状だが、実は、ドリル型よりタスク型のゲームのほうがより効果的だという。タスク型とは、学習者が実際遭遇しそうなコミュニケーション場面を想定し、意味のあるやりとりを行って、コミュニケーション上の問題解決を行うことを目的としたゲームのことをさす。また、まったくの初心者より、多少学習経験のある学習者のほうがゲームの効果が高い。いずれにしても、一番重要なのは、どのようにゲーム中に言語が使用されたかが、効果の度合いを大きく左右するという点である。

もちろん、デジタル・ゲームがすべての学習に有効であるというわけではない。この章では、外国語学習を例に見てきたわけだが、デジタル・ゲームの効果に関しては、語彙分野を対象としたものが多く、他の言語分野に関しては、まだ研究の蓄積が十分とはいえない（つまり、未知の部分が多い）。

当然のことだが、なんでもかんでもゲームで学習が進むわけではない。ゲームに頼りすぎる学習は、また問題を生むことになるだろう。さらにデジタル世代のすべてが、ゲーム・ベースの学習形態を好んでいるわけではない点にも注意したい。個人差がある。本章で紹介した小学生のゲームデザイン・プロジェクトに参加してくれた児童の中でも2割近くは、紙の媒体での学習のほうが好きだと答えていた。またSNSと同様に、ゲーム内でも、独特な言語使用が見られたりする。デジタル・ゲームのプレイヤーの間の独特な言語使用（綴りや文法）などが、かっこいいと感じる外国語学習者がいる一方で、学校で習う規範の綴りや文法から逸脱していることに不安を感じる学習者がいることもわかっている。

実証研究の蓄積はまだ不十分で、どのようなデジタル・ゲームを、どのように、どの頻度で、どの学習者がプレイした時に、どのような言語分野に、どの程度の影響がでるのか詳細にはわかっていない。ただ、もしデジタル・ゲームの使用状況により、子どもたちの認知機能や認知方略に違いがでてきているとすれば、プレンスキーが言うように、それぞれの認知機能に見合った学習方法が必要になってくるのかもしれない。

最後に、ゲームを取り入れた学習では、教師や保護者の役割も実は非常に大切であることが指摘されている。特に年少者の場合は、その役割が大きい。むやみにゲームを導入するのではなく、適切なガイダンスと、ゲームを使った学習に対する大人の理解が必要であるといわれている。教師の側が、ゲーム・ベースの学習に不信感を抱いていれば、効果がでなくても、それほど不思議ではないだろう。

†まとめ

この章では、デジタル・ゲームと第二言語・外国語習得におけるゲーム使用の可能性についてみてきた。ゲームは、人間の歴史の中で、学習のツールとして利用されてきた。そして、デジタル・ゲームは今、多くのデジタル世代の心をつかんでおり、その中には、動機づけを高めるヒントがいろいろと隠されていると予想できる。

デジタル・ゲーム世代は、ユニークな認知スタイル・学習嗜好があると考えられており、そうしたスタイルや嗜好に合った学習方法への模索が大切になってきている。繰り返しにはなるが、ゲーム的なアプローチには可能性もある一方で、個人差もあり、すべての子どもたちが好むわけではないことも、押さえておかなくてはならないだろう。

次の章では、ＡＩと言語使用・言語習得との関係を見ていく。

第6章 AIは言語学習の助けになるか?

1　ＡＩの発達

†ＡＩとは何か？

昨今は、ＡＩ（人工知能）ブームといってよいだろう。ＡＩということばを聞かない日はないくらいだ。ただ、ＡＩという言葉が広範囲で多用されており、つかみにくいことも事実である。ＡＩとは一体何なのだろう。

ＡＩとは、人間のような知能を有する人工物だと考えられるが、実際、その指し示すところは研究者によって違いがある。統一された定義はないのが現状だ。知能のレベルが人間と同等またはそれ以上のものと規定するか、またＡＩ自体を作る技術もそこに含めるのか、自律性を備えた人工物（みずから考えたり、意識・感情などを備えたもの）まで含めるのか、議論の分かれるところである。そして定義の仕方によって、ＡＩは本当に存在するのか、人間の知性を超え、その後の状況が予想不可能になってしまうといわれるシンギュラリティはくるのか、くるとしたらいつなのかという判断にも違いがでてくる。知能というものがそもそも明確に定義されていないので、ＡＩを定義することは不可能だと主張する人もいる。

哲学者のジョン・サールは、「強いＡＩ」と「弱いＡＩ」という概念を提唱した（Searle, 1980）。強いＡＩとは、人間のように意識を持ち、自ら考えることのできるＡＩで、これはまだ存在していない。将来的に可能になるかに関しては、現在のところ、研究者の間でも判断が分かれているようだ。一方「弱いＡＩ」とは、意識や自律的な思考をしない人工物のことで、スマートフォンの顔認識や自動車の自動運転などが例として挙げられる。私たちが今、日常的にＡＩと言っている技術は、この弱いＡＩにあたる。

†AIの歴史

ＡＩの歴史は通常、大きく3つのブームに分けられる（松尾２０１５）。第一のブームは１９５０年後半から１９６０年代の推論・探索の時代、第二のブームが１９８０年代のエキスパート・システムの時代、そして現在の第三次ブームは、機械学習・深層学習技術の時代と特徴づけることができる。

そもそもＡＩということばが初めて使われたのは、１９５６年、アメリカのダートマスで行われた「ロジック・セオリスト」という数学の定理を自動的に証明するプログラムのデモンストレーションにおいてであった。第１次ブームの時代には、推論や探索を行うことで、コンピューターにパズルや迷路などを解かせることに研究者は取り組んでいた。パズルや迷路、そしてその延長線上にある囲碁やチェスなどのゲームは、非常に特化したルール・ベースの問題解決なので、計算能力が向上すれば、ある程度、推論や探索でも乗り切ることはできる。ただ、現実問題の多くは、ルールが明確でない複雑なものが多く、推論や探索に頼る方法では太刀《たち》打《う》ちできなかった。

第二次ＡＩブームは、「エキスパート・システム」を導入することで、複雑な問題への取り組みに挑んだ時期である。エキスパート・システムとは、医療関係や法律関係など、ある一定の分野に特化したルールを徹底的にコンピューターに学習させることによって、特定領域における現実の問題に対応しようとしたものである。しかし、この試みも失敗に終わる。コンピューターには、いわゆる常識がなかったからである。私たち人間の判断には、専門知識だけでなく、膨大な背景知識を必要とする。そのすべてをコンピューターに教え込むことは不可能であり、このアプローチも壁にぶつかってしまった。その後、２０１０年代半ばまでは、ＡＩにとって冬の時代となった。

ブレイクスルーは、機械学習、さらにその進化型の深層学習（ディープ・ラーニング）の技術が可能になったことであった。それまでは、人間がルールや知識を割り出し、それをコンピューターに教え込もうとしたことにより、壁に突き当たっていたわけだが、機械学習や深層学習では、人間がルールを教え込むのではなく、大量のデータを与えることで、コンピューターがルールを自ら導き出すことを目指したのである。機械学習には、あらかじめ正解が付与された問題を与える「教師あり学習」と、正確がないまま、コンピューターがパターンや構造の分析・分類などを行いながら、みずから正解を導き出せるようにする「教師なし学習」、そしてコンピューターの行動に報酬を設定してあげることで、コンピューターが、報酬が最大化するパターンを試行錯誤を繰り返しながら、自ら導き出せるようにする「強化学習」がある。

機械学習では、データの中のどのような特徴が行動結果を左右しているのか（これを特徴量という）を人間が判断し、調整しながら、結果の精度を上げていくという方法をとっている。これに対して、人間の判断を伴わず、コンピューターが自ら特徴量を設定し、パターンを学習する方法が深層学習である。深層学習は、人間の脳神経の構造をヒントにしたニューラル・ネットワークを土台にしている。入力された情報は、ネットワーク内の入力層、隠れ層、出力層を経て、出力される（図6－1参照）。隠れ層は、中間層ともいえるプロセスで、図6－1は便宜上3層で描いているが、深層学習では、複雑な情報に対応するため、隠れ層の数を増やしている。こうすることにより、複雑な情報を、人間の直観に頼ることなく、人間が気がつかなかった特徴なども使うことで、効率の良い学習が可能と

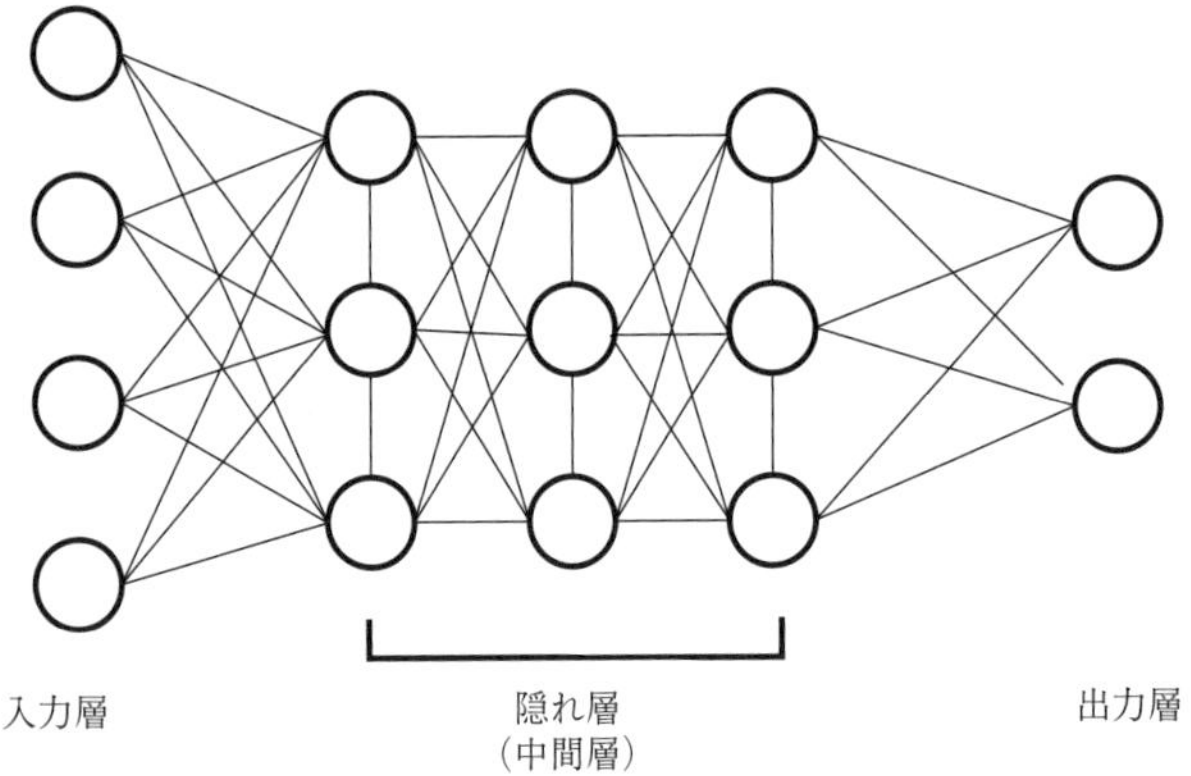

図6－1　深層学習の仕組み　図中、丸で表されているもの（ノードという）が、脳の神経細胞に相当する人工ニューロンである。入力層から入った情報は、何層にもわたる隠れ層を経て、出力される。

なったのである。以下この章で取り上げる子どもの学習用の社会ロボットや、言語学習やアセスメントに使用されている音声認識、自動翻訳などに使われている自然言語処理の技術などは、すべて深層学習のたまものである。

図6－1中、丸で表されているもの（ノードという）が、脳の神経細胞に相当する人工ニューロンである。入力層から入った情報は、何層にもわたる隠れ層を経て、出力される。

本章では、AIを広義にとらえ、AIを作る技術も含めてAIと呼ぶことにする。AIは私たちの生活のあらゆる場面において大きな影響を与えている。その影響力は、今後、指数関数的・飛躍的に増大するだろうといわれている。AIに近い将来、職を奪われてしまうのではないかと漠然と不安になっている読者もいるかもしれない。この章では、ＡＩとデジタル世代の言語学習やコミュニケーション能力との関係に焦点をあててみたい。具体的には、社会ロボットと子どもの言語習得、音声認識や機械翻訳の技術と第二言語・外国語習得への応用について考えていく。

2　子どもの言語学習における社会ロボットの効果

†社会ロボットとは

ＡＩは、子どもの世界にも大きな影響を与えるようになってきている。さまざまなＡＩのうち、子どもの学習への応用で関心を集めてきたものの一つに、社会ロボット（Social robots）がある。社会ロボットとは、一般には、人間が通常行う基準に従って、人間と交わり、コミュニケーションをする目的で作られたロボットのことをさす。Pepperなどは多くの読者にもお馴染みに違いない。人間との相互交渉は、人間がコンピューターを操作するケースも含まれるが、最近ではＡＩによって自動化されているものが増えている。

なお、工場などでよく見るロボットアームなど、人との交流ではなく、限定されたタスクを行うために作られたロボットは、社会ロボットとはいわない。またバーチャル上で動くものは、社会ロボットとはいわない。社会ロボットとは、何らかの物理的な形をもって現実世界に存在しているもので、バーチャル上で動くものは、人型をしたアバターであっても、社会ロボットには含めない。

社会ロボットの市場は急速に拡大している。社会ロボット全体の市場は、2018年で56億ドル（約6000億円）で、2025年までには190億ドル（約2兆円）市場になると見込まれている（Mordor intelligence, 2020）。また社会ロボットは、社会のさまざまな分野に使われていくことになるだろうが、子どもの学習向けのものも、急速に普及し始めている。

社会ロボットは、個々の子どもの熟達度や学びのペースに合った形で学習を続けられる点で、メリットがあると考えられる。子どもの認知・社会・情緒・言語発達には大きな個人差がある。だから、個人の発達度合いに合わせて、オーダーメイドの学習を行えることが好ましい。お掃除ロボットを使っている読者は、思い出してほしい。お掃除ロボットは家の間取りや家具の配置などを学習して、効率的に掃除をしてくれる。それと同じだ。個々のユーザーに合わせた形で、サービスを提供してくれるのだ。効果的な学習用のＡＩ社会ロボットの潜在的メリットもそこにある。

†社会ロボットを子どもはどう思うか

子どもの学習用の社会ロボットは、この数年間で技術的にも飛躍的な進歩をとげ、その種類も増えてきた。価格もさまざまで、最近では1万円以下で購入できるものもあり、「我が家の子どもにも使わせている」という読者もいることだろう。学習内容も多岐にわたり、プログラミングをしながらＡＩの仕組みを学ばせる社会ロボットは、小学生向けはもとより、学齢期以前の４〜６歳児を対象にしたものもあり、大流行である。早期ＡＩリテラシー教育ということらしい。

ただ、保育園・幼稚園児を対象にしているといっても、４歳と６歳では、社会ロボットに対する子どもの概念がずいぶん違う。ＭＩＴ（マサチューセッツ工科大学）のメディア・ラボで行われたある研究（Williams et al. 2019）によると、４歳児の段階では、社会ロボットをおもちゃの一種だと考える傾向が強い。一方、６歳児では、社会ロボットをおもちゃというより、人間に近いものだと考えるようになる。あまり学びが進まなかった子どもの間では、社会ロボットをおもちゃと考え、さらに自分より頭が悪いと考える傾向があったという。普通のおもちゃにはないＡＩの特殊性、学ぶ力を認識できた子どもに、より効果が見られたということなのだろう。

では、言語学習に関してはどうだろう。子どもの第一言語（母語）および第二言語（または外国語）学習用として社会ロボットへの関心は高い。今までの章で、言語学習においては、特に相互作用（インタラクション）の果たす役割が重要であることを見てきたが、ジェスチャーや感情表現のできる社会ロボットであれば、疑似的な相互作用の関係性を作ることができ、子どもの言語習得を促進することが可能なのではないかと期待される。

実際、幼稚園児は、アニメのキャラクターなど、コンピューター上で動くバーチャルな疑似人物よりも、社会ロボットのほうに、注意を向けやすいことが知られている（Belpaeme et al., 2018）。また直接ロボットに触れたりすることができるなど、ロボットの持つ物理性・身体性も重要だと考えられている。社会ロボットを初めて見る幼稚園児の多くがロボットに触りたがることからも、直に触れることができるという点が子どもにとっては魅力的なのだろう。さらに大人を対象にした一連の脳科学の実験では、実際に触ることのできる社会ロボット、触ることのできないロボット、スクリーン上でアバターと交流した3つの場合では、脳の活動の場所が違うことが示された（Henschel et al., 2020）。

†言語学習における実証研究

社会ロボットを使った子どもの第一言語、第二言語（または外国語）の習得に関する実証研究は、まだあまり多くない。今のところ発表されている研究の中では、幼稚園児を対象にしたものが多く、また言語対象も語彙の習得に関するものが多い。

現時点での全体傾向としては、社会ロボットの言語習得への効果は、研究によってばらつきがあるものの、研究者が期待するほどの効果があがっているとは言いがたい。特に幼稚園児またはそれ以前の子どもたちに関しては、効果があったとしてもかなり限定的である。

たとえばゴードンらの研究では、英語を母語とする3～5歳児に、スペイン語の語彙を学習するゲームを社会ロボットと一緒にやるというセッションを7回続けて行い、全部で8語のスペイン語の単語を導入したが、子どもたちは平均して1語か2語しか学ばなかったという（Gordon et al. 2016）。同様に、英語を母語とする2歳児に、英語の単語学習ゲームを社会ロボットと一緒に12日間で10セッション行った研究でも、子どもたちは10語中、1、2語程度しか習得しなかった（Movellan et al., 2009）。

小学生になると、もっと明確に、社会ロボットとの語彙学習に効果が見られたとする研究が増える。数は限られてはいるものの、社会ロボットは自閉症スペクトラム障害（ASD）を持つ小学生にも、効果があるとする研究も報告されている。たとえば、ASDを持つペルシャ語を話す7～9歳児に、社会ロボットを使って英単語を教えたところ、英語の語彙テストのスコアが上がったという（Alemi et al., 2015）。一方、ＡＳＤを持つ幼稚園児を対象に行った別の研究では、発話上の問題点には向上が見られたものの、語彙力の向上にはつながらなかった（Boccanfuso et al., 2017）。ＡＳＤを持つ子どもたちの間でも、年齢による効果の違いがありそうだ。

語彙以外の習得に関しては、実証研究が少なく、あまり明確なことはわかっていない。結果も研究によってばらつきがある。読みに関しては、社会ロボットをチューターまたは友達として導入した結果、効果が見られたという報告がいくつかあがっている一方で、あまり効果はなかったとする報告もある。文法知識の習得、スピーキングに関しても、効果の有無は、研究によって違いがある。

社会ロボットと一口に言っても、その機能にはロボットによって違いがあるし（たとえば、音声認識の正確さの違い、ジェスチャーや眼差しなどの非言語表現力の違いなど）、対象としている子どもの年齢や、ロボットの導入の仕方、導入回数・時間数、どのような相互作用が行われていたのかなど、研究によって大きな違いがある。社会ロボットが子どもの言語学習の助けになるか否かよりも、どのような条件の下だと、より効果が期待できるのかを割り出すことのほうが、今後の社会ロボット・デザインや導入方法に役に立つと思われる。では、どんな条件が好ましいと期待できるのだろう。

†社会ロボットを使う条件

子どもの第二言語習得と社会ロボットとの関係はまだよくわかっていないことが多いが、年齢は結果を左右する一つの要素になっているように思われる。今まで見てきたように、社会ロボットの効果は、幼稚園児以下の年齢の子どもたちには、第一言語であろうと、第二言語であろうと、限定的である。その理由ははっきりしないが、一つの可能性としては、先にも触れたように、子どもたちの社会ロボットに対する認識の違いが挙げられるだろう。3、4歳ではまだ、何をもって生き物とするかの概念が十分に発達していないのである。

前にも触れたように、年齢の低い子どもたちと小学生では、社会ロボットをおもちゃとみなすか、より人間に近いものと見るかの違いがある。人間に近いものだと認識できることにより、信頼感を持つことができるのだろう。過去の研究結果によると、子どもに効果的に社会ロボットを使うには、ロボットは教師というより、子どもが友達感覚で接することができ、信頼関係を築けるような対象として認識されることが好ましいことがわかっている（Belpaeme et al., 2018など）。

年齢との関連で重要と思われる要素に、インタラクションの際の、非言語行動がある。言語習得には、第2章や第3章でも見てきた通り、子どもの年齢や言語熟達度に合わせた適切な反応を行ってあげることが鍵であることは間違いない。インタラクションを行う際に、目線やジェスチャーを効果的に用いて、同じものや動作に注意を向けたり（ジョイント・アテンション）、相づちなどのバック・チャネル行動を適切に行うことは、子どもが言語を習得するのに欠かせない要素であった。子どもは大人より、こうした非言語行動に大きく依存していることがわかっている。

さらに、複数の言語を習得しているバイリンガル（またはマルチリンガル）の子どもたちは、同年齢のモノリンガルの子どもよりも、こうした非言語要素を、状況に応じて柔軟かつ効果的に利用して、語彙習得をしているともいわれている（Brojde et al., 2012）。ただ、小さい子どもは、相手が社会ロボットの際、こうした非言語情報を十分に活用しきれていないようだ。社会ロボットとアイ・コンタクトをとる回数も、見つめている時間も、3、4歳児はそれ以上の年齢の子どもと比べて少なく、社会ロボットのジェスチャーなどへの反応も少ない（Belpaeme et al., 2018）。

もちろん非言語行動だけでなく、言語行動も重要な要素である。社会ロボットと子どもたちの間でどのような言語のやりとりが行われるかが結果を大きく左右すると予想できるが、インタラクションの際の言語のやりとりを詳細に比較した研究は今のところほとんどない。子どものスピーチは音声的にも不安定で、文法的にもまだ発達途上なので、ＡＩの音声認識技術や、自然な言語上のやりとりを行うまでの技術が（少なくとも現時点では）不十分であることも影響しているのかもしれない。

先行研究からは、子どもの言語の伸び具合を把握しながら、タイミングよく意味のあるフィードバックを与えてあげることが大切であることがわかっている（Vogt et al. 2017）。人間の大人が行うような言語フィードバック（間違えたら正解を与え、正解だったら「よくできたね！」とほめてあげる）、友達が行うようなフィードバック（間違っていたら、「間違ってる」と指摘はするが、正解は与えない）、何のフィードバックも与えないという3つのタイプの言語フィードバックの効果を3歳児の間で調べたある研究では、フィードバックのタイプの違いによる学習効果の違いは見られなかった。ロボットへ向けるまなざしの長さにも、フィードバックの違いによる差はなかった（Belpaeme et al. 2018）。3歳児では、社会ロボットからの言語フィードバックを有効に使えていないようである。

ウイリアムスら（Williams et al. 2019）は、子どもが社会ロボットと学習を行う際の、子どもの「心の理論」（Theory of Mind）の重要性に言及している。「心の理論」とは、平たく言えば、相手の心のうちを理解する力のことである。相手は必ずしも自分と同じ考えを持っているわけではなく、その考えに従って行動する。相手の立場に立って、相手がどのような行動をとるか予想したり、相手の行動を理解したりできる認知能力を「心の理論」

という。幼稚園児はまだこの心の理論の発達途上にあるといわれている。ウイリアムスらによれば、社会ロボットとの学習を効果的に行うには、ロボットを社会性のあるもの（人間のようなもの）としてとらえ、ロボットの視点に立って、ロボットの反応や行動を理解する必要があるため、社会ロボットの効果は、子どもの「心の理論」の発達と大きな関わりがあるという。

少なくとも「心の理論」が十分に確立できていない段階の子どもに関しては、社会ロボットの非言語行動および言語行動が、言語の習得に直接役立っているかははっきりしない。人間の大人と子どものインタラクションと、社会ロボットと子どものインタラクションを詳細に比較した研究が必要だが、もしかすると、両者の間には、今のところ大きな違いがあるのかもしれない。将来的にＡＩが心を持つのかどうかの議論は、本書の守備範囲を超えるものであるが、少なくとも、現時点では心を持たない社会ロボットの非言語・言語行動は、「心の理論」の発達途上の子どもをうまく導いてあげるような形のインタラクションには至っていないと推測できる。

†情動面でのメリット

従来の言語習得の研究は、認知的なもの（記憶や注意など）や、社会的なもの（環境・社会的な関わり）と言語習得との関係性を見るものが主流であったが、最近注目度を高めているのが、言語習得と感情などの情動（affect）との関係である。今のところ、社会ロボットが、言語学習にどの程度直接的に効果をもたらすのかは不明確だが、動機づけなど、情動面に関しては、効果があると報告する研究が増えてきている。

子どもが示す「嬉しさ」「いらいら」など、さまざまな情動表現を読み取り、それに合わせて、ロボットが反応するようにデザインしたロボット・チューターを使う研究がいくつか試みられている。たとえば、子どもが退屈しているようなそぶりを見せると、ロボットも退屈そうな反応を示し、別のトピックに移ることで、子どもの注意を喚起するといったような仕組みである。この程度のシンプルな反応でも効果をもたらすことがわかってきた（van den Berghe et al., 2019）。

英語圏の幼稚園児が、外国語としてスペイン語の語彙を学ぶためのロボットを使ったゴードンらの研究では、子どもたちが、タブレット上でスペイン旅行のゲームを行う時に、チューターとして社会ロボットを提供し、子どもと一緒にゲームをさせてみた。その際、子どもの情動パターンを学習して、それぞれの子どもの情動反応に即した、個別の対応ができるようにプログラミングしたところ、効果があったという（Gordon et al., 2016）。絵本の読み聞かせをするロボットの場合も、感情を込めて読んであげるほうが、感情を込めないで読んであげるより、子どもは話に集中でき、話の中にでてきた単語にもよく気づいたという（Westlund et al., 2017）。

小学生対象に社会ロボットを使用したケースでも、従来の教室での学習に比べ、子どもたちのやる気が高まったという。やる気が高まることで、結果的には学習面にもプラスに働いた（Alemi et al., 2015）。相手がロボットのほうが、間違いをおかしても、プレッシャーも少なく、自分の間違いにも気づきやすい。10、11歳を対象にしたワングらの研究でも、社会ロボットと学習することで、従来の教室学習よりも、子どもがより自信を持ち、積極的に学習に取り組む姿勢が見られたという（Wang et al., 2013）。このような報告は、いろいろな国から報告されている。どうやら社会ロボットは、幼稚園児から小学生まで、動機づけなどの情動面でプラスに作用しているようだ。

†新規効果の可能性も拭い去れない

ただし、社会ロボットの効果を過大評価しないよう、少し慎重な解釈も必要だ。情動面でのプラス効果は、新規効果である可能性も拭《ぬぐ》い去れないからだ。社会ロボットが急に教室に登場すれば、物珍しさに心を奪われる。新しいものには、興味がいくので、効果があらわれる。しかし、子どもは比較的早く興味を失う傾向があるのも事実だ。短期的には興味を惹いても、それをいかに持続させるかが課題になってくるだろう。今のところ、社会ロボットとの学習を長期的に調べた研究はない。

子どもの興味を持続させるためには、内容面、技術面での向上・整備を行うことが不可欠だろう。子どもが親近感や興味を維持するための仕組みとして、顔認証技術を使って、子どもの名前や過去のやりとり・パフォーマンスに基づいた反応ができるようにしたり、子どもの顔写真をロボットのお腹などに表示できるようにしたり、視線の方向を変えてみたり、挨拶などのルーティンの行動に加えて新しいゲームなど個々の子どものレベルに合った新規の活動を常に組み込んだり、などの工夫が必要となる。

子どもがロボットへの興味を維持できたケースは、ロボットが人間の教師のアシスタントという形で使われていた場合であった。ロボットが単独で教師の役割を担うには、少なくとも社会インタラクション・スキル（相手と相互作用するスキル）が、人間に劣らないレベルである必要がある。ドラえもんのようなロボットが将来的に出現する可能性はあるかもしれないが、少なくとも今はその段階には至っていない。人間の教師に代わるものを目指すのではなく、教師の最高のアシスタントとしての精度を高めるほうにロボット技術開発の力を注ぐ必要がありそうだ。

今後、社会ロボットは私たちの生活にどんどん浸透してくるだろう。教室の中にロボットがいるのが当たり前の時代はそう遠くない。ロボットの存在は人間のインタラクションの仕方を変える可能性がある。今まではロボットをどのような形で人間のインタラクションのありかたに近づけるかという視点で開発が行われてきたが、もしかすると、今後はロボットを含めた新しいインタラクションの形を追求すべきかもしれない。そうした中で、新しい形の言語学習が模索されるべきだろう。

3 外国語教育にＡＩをどう活用するか

†ＡＩの可能性と現状

テクノロジーの使用は、外国語教育では最近始まったことではない。たとえばラジオを通じての外国語教育番組は、日本では大正時代からあるし、今も健在だ（山口２００１）。ＬＬ（Language Laboratory）教室も、１９６０年代から日本全国の中学校・高校に普及しだした。また現在では、外国の仲間とテレカンファレンス（遠隔会議）を行ったり、外国語でウェブ上の記事を読んだりなど、コンピューターを取り入れた言語教育は、ＣＡＬＬ（Computer Assisted Language Learning）と呼ばれ、今や応用言語学の一大分野になっている。

　しかし、ＡＩの言語教育への応用は、ＩＣＡＬＬ（Intelligent CALL）と呼ばれ、従来のＣＡＬＬとは次元の違う形での変革を教育現場にもたらそうとしている。ＡＩは、すでに触れたように、個々の学習者に合わせた学習内容、カリキュラムに基づき、個人ペースでの学習を可能にする。本人の過去の学習履歴、および他の多くの学習者の学習履歴からなるビッグ・データに基づき、即時にフィードバックを提供したり、次のステップを予測したりすることも可能になる。今後は、個々の学習者に合わせた教科書や教材を使うことが当たり前になるだろう。ただ、今のところ、言語教育はＡＩの特徴を最大限に使っているとは言い切れないのも事実である。

　ＡＩをベースにした言語教育の具体例としては、後で詳しく触れる機械翻訳の教室への導入や、ライティング活動にＡＩを積極的に使っていく方法などが欧米ではかなり普及しつつある。Grammarly や Pro Writing Aid などのオンライン英語ライティング・サービスは、筆者の学生（英語が第一言語か第二言語かにかかわらず）の間でも、よく使われている。単なる綴りや文法のチェックだけでなく、ライティングのスタイルや読み手の特徴により（アカデミック・ペーパーか、カジュアルな文章か、ビジネス文書かなど）、語の選択（同じ形容詞を繰り返し使っていないか、多様な語彙を使っているかなど）や全体のトーンなど、適切な助言をしてくれる。これらはビッグ・データに基づく助言であり、使いようによっては、かなり便利なツールになりうる。ただし現時点（2021年3月）では、個人のライティングのくせや、上達度に適応した助言には至っていない。

†AIベースの学習ツール

ＡＩベースのアプリケーション・ソフトウェアもたくさん開発されている。私たちが日常使っている日本語や英語などの言語は自然言語といい、自然言語をコンピューターに処理させるさまざまな技術を総称してＮＬＰ（Natural Language Processing、自然言語処理）という。ＮＬＰは、言語材料を単語や形態素に分けたり、構文を解析したり、意味や文脈の解析を行うなどに必要な一連の技術をさし、この中には、さまざまな検索技術や音声認識技術なども含まれる。こうした自然言語処理の技術をもとに作られたアプリケーション・ソフトウェアの例としてはBabbel, Mondly Languages, Duolingoなどがある。

このようなアプリケーション・ソフトウェアでは、ウェブ上の大量のデータをもとに言語材料を選び、学習者の学習進捗状況に応じて、段階的に学習を進められるようになっている。複数の言語から自分の学習したい言語を選択し、好きな時間に好きな場所で、好きなペースで学習できるメリットがある。この方法は、今まで見てきたように、デジタル世代の学習スタイルに合致している。筆者はアメリカの勤務校での「テクノロジーと言語習得」という授業で、学生に好きな言語をDuolingoで数週間学んだ後、レポートを書いてもらっているが、まったく未知の言語ではなく、多少学習経験のある言語を対象に、限定された言語知識（語彙や基本文法など）を習得するには一定の効果があると分析する学生が多い。

実際、現在あるアプリケーション・ソフトウェアの多くは、単語やフレーズ、文の翻訳や穴埋めなどをしながら学習していく形態が主流で、かなり限定されたものと言わねばならない。パターン練習からくる飽きを避けるための工夫（進捗度が可視化されていたり、ゲーム仕掛けの要素があったり、他の学習者との交流機能がついていたりなど）もされている。ただ、今のところ、実践的なコミュニケーション能力を身につけるための道具とはいえない。

さらに外国語学習で注目を浴びているＡＩベースの学習ツールに、ＩＶＲ（Intelligent Virtual Reality）がある。ＩＶＲでは、仮想現実と自然言語処理技術やロボット技術などを組み合わせ、学習者は仮想現実空間で、目標言語を話す話者ないしは教師を模したＡＩアバターと会話を交わすことができる。それにより、リスニングやスピーキングの力をつけたり、自信を高めたりすることを目指す。

ＡＩベースのため、アバターは個々の学習者に合った形で、会話をすることが可能である。画像技術も向上し、あたかもカフェや美術館などにいるような疑似体験ができる。ゲーム性を備えたものも多く、デジタル世代の学習形態にそうものでもある。ただ、現在外国語教育で使われているＩＶＲの多くは、システムが予想可能な会話形態におさまっている限りにおいてはスムーズな会話が期待できるが、予想されていないような事態が起こると、対話が不自然になってしまう。

ＡＩベースのチュータリング・システム（Intelligent Tutoring Systems, ITS）は、近年その精度を上げ、外国語学習でも注目を浴びている。個々の学習者の学習度合いに応じた適切な問題を出したり、フィードバックを即時に提供したり、次の目標を提示したりなど、ＡＩならでの強みを発揮できるようになってきた。特に２０２０年には、カーネギーメロン大学の研究チームが、ＡＩ技術者の手を借りないでも（つまりプログラミングの技術がなくても）、教師が自らコンピューター化したレッスンを簡単に作ることができるシステムを構築したと発表した（Weitekamp et al. 2020）。これにより、たとえば教師がＡＩチューターに任せたい課題を自分で作れるようになるという。

†期待できること、危惧すべきこと

このようにAIベースのさまざまなツールは、外国語学習に応用され始めている。現時点では不十分な点もあるが、今後技術的な発展が進めば有効な学習ツールとなりうるだろう。AI技術が入ってくることで、学習者が自律的に、個々のペースで学習をすることが可能になり、「学習者中心の教育」の促進につながると期待できる（Pokrivcakova, 2019）。

AI技術は外国語学習の可能性を大きく広げてくれるが、慎重に考慮しなくてはならない点もいくつかある。AIによるアウトプットは、インプットとしてどのような言語材料をAIに与えてあげるかによって左右される。その過程は、今のところブラックボックスだ。AIの与えてくれたフィードバックが腑に落ちなくても、その理由を突き止めることはできない。

AIベースの発音矯正のアプリは大量に市場に出回ってるが、社会言語学者は、ある特定の発音を押しつけることにつながるのではないかと、懸念を示す。近年、言語教育では、ネイティブ・スピーカー神話（ネイティブ・スピーカーの発音を理想化する姿勢）の悪影響から解放され、ネイティブにいかに近い発音を身につけるかを目指すのではなく、どれだけ通じやすい発音を身につけるかを目指すべきであると考えられるようになってきた。その矢先に、AIベースの発音矯正やスピーキング教材のせいで、また昔に逆行するのではないかと危惧されているのだ。

ＡＩは、学習の画一化を進め、人間の言語活動の多様性・創造性を損なう方に私たちを導いてしまうのではないか。そして、このようなＡＩベースのツールの影響が一番深刻なのは、おそらく言語評価・アセスメントの分野であろう。

†ＡＩとアセスメント

ＡＩは、言語テスト・アセスメントの分野でも、大きな変革をもたらしている。ただ単にコンピューター上やタブレット上でテストを受けるというだけでなく、ＡＩ技術を利用して、個々の学習者の熟達度に適したテスト項目を選択することにより、効率的に学習者の言語能力を測定することが可能になってきている。みんなが一斉に同じ設問を長時間にわたって答える必要がなくなるのだ。

まだそれほど普及はしていないが、ＡＩを使ったゲーム型の評価方法も注目されている。学習者は、テストを受けているという感覚のないまま、言語を使ったゲームを行う。一方、教師のほうは、学習者に関する多くの情報を蓄積・把握することができる。学習の過程を自然な形でとらえることができ便利だ。試験のために、わざわざ授業時間を割く必要もないし、なんといっても、学習者への心理的負担を軽減できる。学習と遊びの間に仕切りを設けないデジタル世代のスタイルにあった評価方法の一つといえるかもしれない。

ＡＩはまた、テストの評価者としても使われるようになってきた。スピーキングやライティングの評価に、人間の評価者（レーター）に加えて、ＡＩを採用するところが増えてきたのである。TOEFL iBTやIELTSなどといった英語熟達度テストを受けたことのある読者も少なくないに違いない。こうした国際的に広く使われている英語の熟達度テストも、ＡＩによる評価を導入している。多くのテストでは、今のところ、人間とＡＩの評価者を併用しているが、Pearson社のVersant Testなど、評価はＡＩだけで行われているテストもある。採点者としての役割をＡＩに託すようになった背景として、人件費の節約や効率化のメリットに加え、人間の評価者の持っているバイアスやばらつきなどを最小限化したいという期待もある。

ＡＩによるライティングの評価をＡＥＳ（Automated Essay Scoring、自動小論文採点）と呼ぶが、評価エンジンのトレーニングには、大きく分けて2つの方法がある。一つは、エッセイの題目に特化した採点方法で、すでに書かれた大量のエッセイをコーパス化（つまり言語材料をデータ・ベース化すること）し、それに基づいて採点モデルを構築するというボトムアップ方式（Prompt-specific Scoringと呼ばれる）である。もう一つは、文法の誤り、語彙使用の頻度など、あらかじめ定めておいた要素に基づいて採点を行うというトップダウン型の方法（Generic Scoring）である。

人間とＡＩの評価の一致の度合いはかなり高くなってきている。テストによって使用しているＡＥＳの種類は異なるが、国際的に有名な英語の熟達度テストで使用されているＡＥＳでは、人間とＡＩの評価の一致の度合いを示す相関係数は、２０１９年の段階で、０・８０から０・８５程度までに達しているという（完全に一致していれば、相関係数は1、まったく一致していなければ0となる）。この相関度は、人間同士の相関関係と比べても遜《そん》色《しょく》がない高いもので、ＡＩ使用の正当化の根拠の一つになっている。

ただ、人間による評価とＡＩの評価の一致度が高いからといって、人間とＡＩが同じ要素に同じように重きを置いて、評価を行っているわけではない点に注意したい。エッセイの質を左右する要素には、文法や、綴りや句読点の使い方、語彙選択や文構造のバリエーションなど、ＡＩが判断を得意とするものから、どのように議論が構築されているかや、文や段落の一貫性、主張の説得性など、現時点ではＡＩが十分に機能していない（又はほとんど機能していない）要素もある（Ke & Hg, 2019）。ＡＩの得意とする要素は、低次の要素などともいわれる。一方、内容や全体の構成一貫性などは高次の要素などともいわれ、意味処理に大きく依存する要素である。

このように、ＡＥＳは課題もあるものの、英語に関してはかなり進んできている。しかし、他の言語ではまだまだこれからというケースがほとんどである。

スピーキング・テストでも、ＡＩが評価者として使われている。これには音声認識技術の進歩が大きく反映している。ワード・エラー率（全体の単語数のうち、どれぐらいの割合で単語認識を誤ったのかを示す指標）は、この30年程度で飛躍的に減少した。ある国際的な英語熟達度テストの一つで使用されている音声認識技術では、２０１８年の段階で、ワード・エラー率は、5～10％程度と、かなり良質だといわれている。

ただ、5～10％というのは、英語を母語とする大人のスピーチのケースであって、成人の非母語話者が対象の場合は、平均で18・5％である。また、子どもの英語学習者の場合は、エラーの割合はもっと高くなる。さらに、タスクによっても違いがでている。与えられたテクストを声に出して読む場合（reading aloud）では7・7％だが、絵に描かれている内容を描写する（picture narration）では24・4％、自然なスピーチではワード・エラー率は27・6％まで上がっている。自由度が高くなるにつれて、ワード・エラー率が高くなっていくことがわかるだろう。つまり、自由度の高いタスクは、ＡＩだけに任せると信頼性が下がる。一方、ＡＩに任せることを前提としたテスト作成を行えば、テストで使用できるタスクのタイプが制限されてしまうことになる。スピーキング・テストでも、ライティング・テストと同様、ＡＩの評価は低次の要素が中心になっている。トピックをどのように発展しているかといった談話レベルの高次の要素の評価には、まだまだ課題が多い。

こうした状況の中、ＡＩの導入だけが先行すると、テストで測るべき能力自体（これをコンストラクトといい、テストにおいて最も重要なものだと考えられている）が変わってしまう可能性がある。

現時点でのＡＩ技術が不十分な点（低次の要素に依存した評価になっている点）は、テスト受験者の受験対策にも影響を及ぼしている。たとえばライティングでは、書いた分量が多いとより高い点がもらえるとなると、教師の中には、とにかく何でもいいから、たくさん書くことを生徒に勧める者もでてくる。学習者は、自由に自分の考えを述べるというより、綴りや些末《さまつ》な文法の誤りに敏感になる。

スピーキングでも、流暢さが一つの大きな採点要素になるので、とにかく淀まずに話を続けると得点が上がる傾向がある。そのため、教師の中には、学生にポーズを置かないで話すようにとアドバイスする者もいるらしい。発音も重要な評価材料となるため、社会言語学者は、前にも触れたように、ＡＩで高評価を得やすい、アメリカ英語など一定のネイティブ・スピーカーの発音や話し方のスタイル（間の置き方、イントネーションなど）が、教育現場で強調されるようになるのではないかとの懸念を示している。ＡＩが利用しているコーパスは、今のところ特定の英語に偏っているからだ。みんなが、ＡＩから高評価されるスピーチを意識して外国語学習をする状況を想像してみてほしい。そこには多様性が入り込むすきのない、没個性の世界が広がっている。

しかし、ＡＩによる採点を意識した受験対策は、もうすでに起こっているのが現実だ（Knoch et al. 2020）。ＡＩ導入によるメリットを最大限に利用する一方で、本来の人間の創造的な言語活動が、ＡＩ技術に合わせたかたちで制限されることにならないよう、批判的な目も持ち合わせておく必要があるだろう。

4　機械翻訳と言語学習

†機械翻訳の進化

もう一つ、外国語学習との関連で、どうしても外せないものが機械翻訳である。機械翻訳とは、コンピューターなどの人工物による自動翻訳をさす。以前に、ＡＩ自体の定義が不明確だという話をしたが、同様に何をもって機械翻訳とするのかも、研究者によって定義が若干異なる。

機械翻訳の精度は、ここ数年ほどの間に飛躍的に向上した。筆者も、10年前には、日本語を機械翻訳によって英語に直したのであろうメールを受け取って、そのあまりの奇異さに絶句してしまったこともあった。ところが昨年（2019年）、ベトナム旅行中に体調を崩した際には、ベトナム語を話す医療関係者と、Google翻訳を使って、かなり専門的な細かいことまで、ほとんど違和感なく意思疎通ができたことには驚いた。このような変化は、一定以上の年齢層なら、多くの人が実感しているに違いない。多言語社会を推進するEUでは、すでに機械翻訳は欠かせないツールになっている。

機械翻訳の進化は、この章の最初に紹介したAIの歴史に呼応する形で、3つの段階に分けられる。第一段階は、ルール・ベース機械翻訳で、この段階では、対象言語のルール（語彙や文法などのルール）をプログラム化していた。しかし、この方法では技術者に膨大な時間と手間がかかるわりには、精度を上げることができなかった。言語使用は、ルール通りにいかないものも少なくない。

停滞の時代を経て、1990年代ごろからは、統計的機械翻訳が試みられるようになる。統計的機械翻訳では、対訳つきデータを大量に読み込ませ、統計処理を行った。これは答えのついているデータを機械に学習させたもので、つまり前述の「教師あり学習」である。その後、2010年代から深層学習に基づいたニューラル機械翻訳が試みられるようになり、観測データに基づいて、コンピューターが自ら学習する形が広まっていった。

2016年にはGoogle翻訳が、ニューラル機械翻訳に基づき、翻訳のユニットを語やフレーズなどのレベルから文レベルで行うよう、アルゴリズムに変更を加えたり、提供するデータの質を上げたりしたことで、翻訳の精度が格段に向上したといわれている。また、大量のデータを集めにくいマイナーな言語に関しても、バック・トランスレーション（本来は翻訳したものをもとの言語に翻訳し直すことをいう）などをトレーニングの一部として導入したりすることで、徐々に精度を上げているという。

†機械翻訳の現在の実力

Google翻訳を使って、現在（2020年11月時点）のレベルがどの程度なのかちょっと試してみよう。以下は筆者が機械翻訳の可能性と限界を考える授業の課題として学生に出したものだ。寛太は同じ授業をとっている美香をデートに誘いたいが、美香は乗り気ではない。寛太の気持ちを直接傷つけないように断るという設定で学生が交わした会話をGoogle翻訳で英訳してみた（図6－2）。

寛太には気の毒な結末だが、翻訳は全体的にそれほど悪くない。ただ、いくつか問題点はある（問題部分にはアンダーラインを引いてある）。日本語は主語や目的語が文脈からわかれば、省略することが多い。ところが、英語ではそれは許されないので、省略された部分を文脈に即した形で補う必要がある。文脈の把握が苦手なＡＩは、それを誤ることがしばしばある。上段の「食べないとしっかり頭に入らないでしょ」の英訳では、余計なitが入っていたり、指示詞の指し示す内容が誤っていたりしている（頭に入れなくてはいけないのは、テストにでそうなドイツ語であって、食べ物ではない）。「頭に入れる」も、直訳では意味が正確に伝わらない。「食べるとねむくなっちゃう」の英訳がおかしいのも、同様の理由である。

また、モダリティ表現といわれるものも、ＡＩには厄介なもののようである。モダリティは客観的記述に対して、発話者（または書き手）の主観的な見方を示す述語の形態のことをいう。下段の「うまいらしいよ」がその例である。寛太は新しいレストランの食事の味を自分で確かめたわけではない。伝聞に基づく推測である。それが英語ではIt's goodと客観的記述になっている。モダリティ表現と同様に、文脈に依存する時制やアスペクト表現（「雪が降っている」の「ている」など、物事が完結しているのか、継続しているのかなどを示す表現）なども、機械翻訳ではしばしば不適切なものを見かける。

名詞句に関しては、数や冠詞に関わる点で、誤訳が生じることがある。下段のthe weekendsがその例である。ここでは今週末の話をしているので、this weekendのほうが自然な解釈だろう。「送ってあげるよ」の直訳はここでは意味をなさない。最後の「彼」は美香のボーイフレンドであり、寛太にとっては絶望的な現実なのだが、その悲劇性は翻

寛太：あのさ、今晩、空いてる？映画でもどう？	Kanta: Are you free tonight? How about a movie?
美香：うーん、明日、ドイツ語のテストがあるから、今晩は勉強しなきゃ。	Mika: Well, tomorrow I have a German test so I have to study tonight.
寛太：じゃあ、夕飯だけでも？食べないとしっかり頭に入らないでしょ。	Kanta: Then, just for dinner? If you don't eat it, you won't get it in your head.
美香：ごめん。食べるとねむくなっちゃうから。	Mika: Sorry. It makes me sleepy when I eat it.

それでも、寛太はもう一押し頑張ってみる。

寛太：じゃあ、今週末はどうしてる？　最近学校の近くにできたレストランに行ってみない？うまいらしいよ。	Kanta: So what are you doing this weekend? Why don't you go to a restaurant that was recently opened near the school? It's good.
美香：ごめん、週末は用事があって。もう、疲れたし、行くね。	Mika: I'm sorry, I have something to do on the weekends. I'm tired and I'm going.
寛太：じゃあ、送ってあげるよ。	Kanta: Then I'll send it to you.
美香：大丈夫。彼が送ってくれるから。	Mika: Fine. He will send it to me.

図６－２　例文と機械翻訳による英訳の例

訳にはきちんと表れていない。これは「彼」が場面によって、日本語では特殊な意味を持つという背景知識とその適切な運用が必要だからである。

機械翻訳には、このように現時点ではまだ問題がある。ただ、旅行で現地の人と最低限の意思の疎通を行ったりする目的などでは、十分に機能するといっていいだろう。特に英語とスペイン語、中国語などメジャーな言語の組み合わせの場合、もとになるデータの量が多いので、今後も精度が高くなる可能性が高い。その一方で、マイナーな言語の組み合わせだと、データ不足で精度が下がりやすい。

機械翻訳の活用が進むにつれ、英語支配の状況に歯止めがかかるのではという楽観論もある。ただ、マイナーな言語同士の機械翻訳では、今まで英語を介在するアプローチをとってきた。西島は、このアプローチに依存している限り、英語支配状況は見えにくくなっているだけで、消えないのではないかという興味深い論考を展開している（西島2018）（2020年現在Googleは、英語を介在しない方法を開発している。ただし、機械翻訳技術がビッグ・データに依存する限り、ビッグ・データを持つ言語の支配性がまったく解消されるわけではないだろう）。

また、機械翻訳は現在使われていることばからデータをとっているため、そこに存在しているバイアスをそのまま反映してしまうことがある。たとえば医者は男性が多いので、機械翻訳では自動的に男性の代名詞を使い、幼稚園の先生は女性が多いので女性の代名詞を使ってしまう傾向がでる（それを修正する試みも始まっている）。ＡＩをうまく使いながら、自然言語と人間の言語使用の多様性を守っていくためには、機械翻訳の分野でも批判的な視点と認識を常に保つことが重要である。

†外国語学習はいらなくなるのか

機械翻訳の精度が上がるにつれて、ユーザーの満足度も高まってきており、デジタル世代も学習の際に機械翻訳に頼ることが多くなってきているようだ。小田があまり英語を得意としない日本の大学生に行ったアンケート調査では、２０１２年の段階では、64・０％の学生が機械翻訳を使った際に、「うまくいかなかった」と答えたのに対し、２０１９年では、「うまくいった」が24・１％、「自分が考えた英語よりはいいと思う」と答えたのは48・１％だったという。さらに、大学の課題を行う際に、機械翻訳の使用を「禁止せずに使い方のコツを知って使うべき」に賛成を示したのは、２０１２年の32・４％から２０１９年には74・４％に急増していたという（小田２０１９）。

機械翻訳の精度がこの先、さらに向上を続けたとしたら、外国語学習をする意義が薄れていくのだろうか。この問いには、機械翻訳の開発に携わっている技術者自身が懐疑的なようだ。人間の翻訳家にしかできないことは今後も残るだろうと考えられている（瀧田・西島2019）。同様に外国語学習のメリットも消えないだろう。外国語の学習は単なる言語コードの変換ではないからだ。対象言語の仕組みや文化に興味をもったりすることで、世界を広げることにもつながる。機械翻訳を旅先で使った学生が、逆に外国語の学習に興味を持ったという事例もある。第1章で紹介した、筆者が2019年に日本の大学生を対象に行ったアンケートでも、5割程度（48％）の学生が、現在、外国語の学習に機械翻訳を使っていると答えていたが、今後外国語の勉強自体が必要なくなると思うかという設問に対しては、必要なくなるということに「大いに賛同」が7％、「ある程度賛同」が18％と、少数派であった。

ただ、いずれにせよ、機械翻訳の進歩で、外国語教育の中での教師の役割は変わってくるだろう。機械翻訳を排除するより、それを有効に使っていく姿勢が求められると考えられる。その点、これから語学教師になろうというデジタル世代は、強みを発揮しそうだ。彼らは、自分たちが機械翻訳を使い慣れているせいか、語学学習への応用にすでにかなり柔軟な考えを持っているようだからだ。

筆者の勤務するアメリカの大学の英語教師養成のコースで、「機械翻訳を英語クラスで使う余地はあるか、ない場合はなぜか、ある場合はどのように使えると思うか」というテーマでエッセイを書いてもらったところ、ほぼすべての学生（英語教師の卵）が、自分の授業に導入したいと書いていた。機械翻訳の持つ不完全さを逆手にとって、どこがおかしいのかを見つけて修正することで、言語間の違いに関するメタ知識を伸ばすタスクなどとして導入できると考えているようだ。ただし、初心者には導入しない、ライティングのクラスでは最初から機械翻訳は使わせないようにするなど、条件をつけた上で活用したいという声が多かった。プレンスキーが言うように、デジタル世代にとって、デジタル・テクノロジーはまさに友達なのであり、彼らは教師として、そのメリットを積極的に授業に活用していくのだろう。

†まとめ

この章では、ＡＩ技術の発達、そしてＡＩを言語学習に活かす方法について考えてきた。社会ロボットは急速に進化し、子どもの言語学習用のものも市場に出回るようになってきた。社会ロボットの持つ身体性を活かし、子どもの情緒面にうまく寄り添う形のロボットの場合、小学生の間では、（少なくとも語彙の習得には）効果があるというデータが集まりつつある。ただ、幼稚園以下の幼い子どもへの効果ははっきりしない。ＡＩ技術はさらに、年長の学習者を対象とした第二言語・外国語教室でも、さまざまな形で導入されるようになってきた。個々の学習者に合わせた学習環境を提供できる点で、今後メリットが期待できる。その一方で、学習の目標や効果が、ＡＩに規定・左右されるような形になってしまうことの危うさを指摘した。

ＡＩ技術の進歩で、人間のコミュニケーションは新しい形態を持つようになってきたといえるだろう。次章では、こうした新しいコミュニケーションの時代に求められる能力は何かを考えてみたい。

第7章

デジタル時代の言語能力

1　コロナ禍の影響

†学校閉鎖で見えてきたこと

2020年の新型コロナの感染拡大で、全世界で多くの学校が一時閉鎖に追い込まれた。ユネスコの統計によると、第一波に襲われた4月末の段階で、191か国、16億人もの子どもたちが影響を受けたと推測されている（UNESCO, 2020a）。先進国の多くは、この機をチャンスととらえ、大幅にデジタル・テクノロジーの教育への応用を推進した。その一方で、発展途上国の間では、教育が停滞したケースが多かったと報告されている。

所得の高い国々（44か国）では、学校閉鎖中に95%がオンラインによる授業を行っていた。そして、学校再開後も何らかの形で、オンラインと対面型の授業を組み合わせたハイブリッド型の授業を進めていく予定だと返答している国が73%を占めている。所得の高い国の中でオンライン授業を進めた国では、オンライン授業への評価は高く、大変効果的だったが43%、かなり効果的だったが58%で、否定的な返答をした国はなかった（UNESCO, 2020b）。

日本でも、2020年の春には3月2日から、全国の小中学校、高校、特別支援学校に、臨時休校の要請が出された。当初は春休みが終わるまでということだったが、5月11日時点で文部科学省の調査では、全国の幼稚園、小中高の86％で、まだ休校状況が続いていた（日本放送協会2020）。休校中、日本では他の先進諸国とは異なり、オンライン授業を政府が積極的に推し進めることはなかった。文部科学省は、オンラインでの授業は正規の授業数に含めない方針をとっており、学校側としても、オンライン授業を導入するインセンティブがなかった。

家庭内でオンライン授業を受ける環境の整っていない児童・生徒が多いことも、オンライン授業を進めにくくした大きな要因とされた。第1章で見た通り、そもそも他の先進国と比較すると、コロナ危機以前から、小中高でのICT化が遅れており、学校内外で児童・生徒が個々の端末を使って学習するという土壌ができていなかったことも、オンライン授業への移行を難しくした。

他の先進諸国の多くは、オンライン授業を実践しながら、コロナ危機をむしろ新しい学習形態を模索・促進するための良い機会だととらえていた向きがある。一方、日本では、大部分の学校がプリントなどを配ったりして対応したが、基本的には個々の家庭に学習をゆだねる形をとらざるを得ず、全体的に休校期間中、子どもたちの学習は大きく停滞した。

文部科学省も、教育委員会も学校も、コロナ危機をチャンスととらえることなく、いかに早く通常の授業に戻すかに関心が集中していた。

†アメリカの対応

確かに、オンライン化を進めるにあたって、家庭にコンピューター等がないためオンライン授業へのアクセスができない児童生徒が不利にならないようにすることは、どこの国でも大きな問題だった。ただ他国では、それを理由にオンライン授業化を躊躇《ちゅうちょ》するのではなく、こうした児童・生徒をできるだけフォローする形でオンライン化に取り組むという積極的な姿勢をとった国が多かった。

アメリカでは、新型コロナウイルスの感染が拡大した2020年春、ほとんどの学校（義務教育である幼稚園から高校までをK-12というが、その99%）が一時休校を迫られた。学齢期の子どもがいる世帯を対象に2020年5月末から6月にかけて行われた大規模な調査（回答数ほぼ5800万人）によると、当時、回答者の子どもたちの約75%が学校のオンライン授業を受けていたという。

家庭内で子どもが常時勉強用に使えるコンピューターがあると答えたのが67%、だいたいいつも使えるコンピューターがあると答えたのが19%と、両者を足すと86%に上っていた。そのうち、もともと家庭に子どもが使えるコンピューターがあった、または今回用意したというケースが75％、学校または教育委員会が学校外で使える個人用のコンピューターを用意してくれたが38％、その他の方法でコンピューターを入手したケースが2％であった（United States Census Bureau, 2020）（総数が100％を超えるのは、複数回答が許されていたからだ。つまり、家庭にもともとコンピューターがあっても、学校や教育委員会等が支給したケースもあったことになる）。いずれにせよ、学校や教育委員会が積極的な役割を果たしていたことがわかる。民間企業や団体が学校に無償で寄付したケースも少なくなかった。

†中国の対応

中国でも、幼稚園から大学までの児童・生徒、約2億7800万人が新型コロナによる一時休校の影響を受けることになった。中国の場合、新型コロナ感染拡大以前から、政府が民間のIT企業とタッグを組んで、非常に積極的にICT教育を進めていた（EdSurge, 2020）。数多くの電子教材、授業プラン、優秀な教師のモデル授業などが、オンライン上で用意されていたのである。デジタル・テクノロジーの教育への導入は、新しい学習・授業形態の促進と一体で進められた。インタラクティブで発見型・問題解決型の授業である。

新型コロナウイルスの感染拡大に伴い学校閉鎖が決まった際（2020年2月はじめ）

には、中国の教育部は、「学校は閉鎖、しかし、授業は継続」というスローガンのもとに、オンライン授業を中心とした学校閉鎖中の学習計画プランを次々と打ち出した。政府のみならず、省レベル、地域レベルで、小中学生の学習用のクラウド・プラットフォームがいくつも整備された。

また、インターネットへのアクセスができない貧困層や、僻地に住んでいる児童・生徒も学習が滞らないよう、テレビの学習プログラムの整備も並行して行った。その結果、かなりの高い割合で、児童・生徒の学習を停滞させないことに成功したという。たとえば、浙江省《せっこう》では、中学生の96％がオンライン授業を受けていたと報告されている（Zhou et al. 2020）（浙江省は東部海岸沿いにあり、中国の中でも裕福なエリアであることは確かだが、それにしても96％のオンライン授業化は高い割合といえる）。「学校は閉鎖、しかし、授業は継続」は、単なる危機への対応ではなく、新しい教育形態への実験台だったという。

オンライン授業の実施に関して、中国教育部は文書を出し、ビデオの視聴は小学生では1回20分程度、中学生では30分までに抑えること、ビデオ型の授業の間にスクリーンを見ずに行えるアクティブ型のタスクを取り入れること、普段の対面型の授業のやり方を持ち込まないこと、新規の学習内容を盛り込まないこと、十分な休憩時間をとること、個々の児童・生徒のニーズを把握して柔軟に授業を構成すること、さまざまなタイプの宿題を出すこと、順次児童・生徒の学習の進捗状況を把握すること、教師のネットワークを最大限に活用することなどを推奨した。省や各地域レベルでも、さまざまなガイドラインが出された。

ここで重要なのは、コロナ禍のもと、中国はオンライン授業を大規模に導入することで、それまでの授業よりさらに質の高い教育を目指していたことである。中国教育部は、オンライン授業により、アクティブ型の、より個人のペースに合わせた多様な教育を実現しようという、非常に積極的な態度をとっていた。中国の教育関係者は、パンデミック中に進んだインターネットを使った教育は、通常の授業に戻った後でも、授業を補う形で、放課後や家庭学習としての役割を担うと考えている（実際、筆者が２０２０年11月に南京の小中学生を持つ保護者数人にインタビューしたところ、少なくとも南京市では、ビデオに撮った授業内容の配信は、学校閉鎖が解除され、通常授業に戻った後でも、対面型の授業と並行して行われているということだった）。

†オンライン授業のメリットと問題点

アメリカでも中国でも、オンライン授業は今後のＩＣＴ教育促進のための布石の役割を果たしたわけだが、教育関係者はもう一つの大きなメリットとして、家庭や保護者を子どもたちの教育の場に（ある意味では否応なしに）引き込んだという点を挙げている。

今まで、子どもの学習状況に関心を示してこなかった（または示す余裕のなかった）保護者も、子どもたちと一緒に家庭で宿題をしたりすることで、家庭学習と学校学習との連携が可能になったといっている。保護者に協力してもらい、うまくいった家庭学習の方法なども、ネット上で共有された。後でも触れるが、この学校と家庭・地域との境界線、学校教育と学校外教育の境界線をあいまいにし、教育環境を広げるという点が、デジタル・テクノロジーが教育を大きく変えてきた（そして今後も変えていくであろう）、一つの大きなポイントである。ただ、すべての保護者が子どもの学習に積極的に協力できるわけではない。保護者がより教育に参加できるような支援体制の整備（たとえば、保護者も一緒にできるアクティビティなどを取り入れた教材を提供するなど）も必要となってくる。

このようにコロナ禍の中で、ほとんどの先進国では、初等中等教育でもオンライン授業が進んだわけだが、もちろん、問題がないわけではない。一番の問題は、教育格差の拡大への懸念だ。前述のユネスコの調査では、先進諸国と発展途上国での教育の格差の拡大が指摘されていた。同じ国内でも、社会経済的地位によるデジタル・テクノロジーへのアクセスの差が、コロナ禍でますます広がったといわれている。しかし、オンライン授業を進めなかった日本でも、保護者の社会経済的地位による教育格差が広がった可能性は大いにある。学校閉鎖中も、一部の私立の学校はオンライン授業を進めていたし、学校が休みでも、オンラインで塾の授業を受けたり、チューターや家庭教師の先生から授業を受けていた児童・生徒もいたからである。

ただ、格差というと、デジタル・テクノロジーへのアクセスの差にどうもスポットライトが当たりやすいが、実は、デジタル・テクノロジーの使用の質の差が非常に重要な点であることに注意したい。デジタル・テクノロジーは使い方が問題なのだ。

†デジタル・テクノロジーは新しいコミュニケーション形態

日本では新型コロナウイルス感染拡大を受け、文部科学省が、２０２０年４月に、ＧＩＧＡスクール構想の早期実施を行っていきたい意向を示した。ＧＩＧＡとはGlobal and Innovation Gateway for All の略であり、ＧＩＧＡスクール構想とは、「児童生徒向けの１人１台端末と、高速大容量の通信ネットワークを一体的に整備」し、「多様な子供たちを誰一人取り残すことのない公正に個別化された学びや創造性を育む学びに寄与するもの」である（文部科学省２０１９ｂ、２０２０）。この実現に向けて、２０２３年度までにすべての小学１年生から中学３年生に端末を導入することを予定していたが、新型コロナウイルス感染危機もあり、前倒しで導入されることになった。これに加え、デジタル教科書や、Ｉ

CT支援員の配置や教員のためのワークショップの開催なども計画している。

これは非常に好ましい動きである。しかし、端末や通信ネットワークの整備、教材のデジタル化やデジタル機器を使うノウハウの支援などは、いわば器の部分にすぎない。その中身をどうするかが非常に大切である。とりあえず、ICTを教育現場に導入しても、どのような教育を目指すのかの明確なビジョンがないと、ICT自体に学校教育が流されていくという結果になりかねない。

学校教育にとどまらず、学校内外や社会生活全般で、デジタル・テクノロジーはコミュニケーションや学習の媒体としての役割を大きく担うようになってきただけでなく、コミュニケーションや学習そのものを変えてきた。つまり、デジタルを使ってコミュニケーションを行うことが日常化しただけでなく、それにより、目標とすべきコミュニケーションや言語自体が変化してきているということだ。従来の教育やコミュニケーションにデジタル・テクノロジーを導入するかというアプローチでは効果はあまり期待できない。いかに教育やコミュニケーションのとらえ方自体に、根本的に新しい発想が求められているのである。

これからの言語教育は、人間の言語習得・言語使用の本質にそいつつ、今後のデジタル社会における新しいコミュニケーション形態を見据えた上で、選択的・計画的にデジタル・テクノロジーを使っていく必要がある。それを実現するために、まず言語習得・言語学習の本質が何であったか、今までの章で見てきたことをまとめてみよう。

2　言語習得・言語使用の本質

†言語使用における身体性の重要さ

言語習得および言語の使用において、身体の果たす役割は絶大である。私たちは、会話を行う時、無意識に数多くのジェスチャー（身振り手振り）を行っている。言語はそもそも身振りから進化したという説もある（Corballis, 2009）。言語の進化におけるジェスチャーの意義はまだはっきりわかっていないものの、会話において、ジェスチャーがさまざまな役割を果たしていることは確かだ。言語化されていないことをジェスチャーで補うこともあれば、言語化されていても、意味があいまいな時に、あいまいさを補うために使うジェスチャーもある。言語化されたことを強調するためのジェスチャーもある。

ジェスチャーの他にも、うなずきや、話し手に視線を合わせたり、「ああ」「ええ」といった「相づち」をするなどの言語・非言語行動（こうした行動は、言語学ではバック・チャネル行動などともいわれる）も、スムーズに会話を進めるための重要な役割を果たす。

コロナ禍で、大学生も社会人も、Zoom, Microsoft Teams, Bluejeans などのビデオ会議用ツールを使って授業や会議を行う人が増えたが、こうしたプラットフォームを使った会話が、相手の顔を見ることができる利点があるにもかかわらず、どうも疲れるとか、アイディアを出すような会議では使えないといった経験を持つ人も少なくないに違いない。ビデオ会議が疲れる理由はいくつか考えられている。たとえば、対面型の会議に比べ、相手の顔が近すぎたり、視線を合わせる状況が多いのにもかかわらず、Zoom 等のプラットフォームでは、カメラと画面のずれから、視線が合わないことが多く、バック・チャネル行動が減少してしまったり、カメラの設定により、ジェスチャーが見えにくくなってしまうことが挙げられている。

ジェスチャーやバック・チャネル行動には、文化差や個人差もあるが、大きく制限されると、違和感を感じたり、生産性が落ちることが知られている。特に日本語話者は（英語話者と比べると）うなずきが多いことが実証研究でも報告されており（Maynard, 1986）、うなずきが制限されることで、特に違和感を感じやすいのかもしれない。

また、人間の脳は、相手の非言語行動を無視できず、それが何を意味するのか、ついつい解釈しすぎてしまうという。ビデオ会議では、スピーカーでない人の非言語行動も気になってしまいがちだ。必要以上の解釈は、認知資源の余分な消費につながる（その他、理由は不明だが、ビデオ会議では、対面の会議の時と比べ、人は平均して15%ほど大きな声で話すという。それも疲れる一因だろう）（Bailenson, 2020）。いずれにせよ、オーラル・コミュニケーションにおいて、視線やジェスチャーなど、ことば以外の身体の果たす役割は大きい。

身体性は会話だけでなく、読み書きの際にも重要な役割を果たす。試験前に手で書くことで、記憶が促進された経験は誰にでもあるだろう。第3章では、手が「読み」に重要な役割を果たしていたことを述べた。私たちは紙の媒体で読む場合、ページが効率良くめくれるように手で準備していたり、手の位置が読みの視線を誘導する役割を果たしていたことを思い出してほしい。読みの最中に行っているポインティングやなぞり、手の位置に合わせて本を傾けるなど、手の果たす役割は大きい。身体的行為が、読みの深さに影響を与えるのである。

教育や発達研究に非常に大きな影響を与えてきた理論の一つに、ロシアの心理学者ヴィゴツキーが唱えた文化歴史的理論がある。この理論では、子どもの心理・認知機能は、人間が社会生活を営む過程で創造してきた数字や言語などの文化的道具を媒介として、高次なものに発達していくと考えられている（Vygotsky, 1978）。数学者の森田真生の著書『数学する身体』によれば、トレス海峡諸島の原住民は、指をはじめ、全身の部位を使って33

まで数えるという。中世のヨーロッパには、指だけで9999まで数える方法があった。私たちは誰しも、子どものころ指を使って数を数えた経験がある。十進法が広まったのは、私たちの手の指が10本だったからだ（森田2015）。

森田は『数学する身体』の中で、1、2、3……といった数が自然数（natural number）といわれるのは、それが「あらかじめどこかに「自然に」存在している」からではなく、「もはや道具であることを意識させないほどに、それが高度に身体化されているから」だと言っている。興味深いことに、言語学でも、日本語や英語など人間が話す言語を「自然言語」（natural language）という。これも森田に言わせれば、「それが高度に身体化されているから」ということになるのだろう。手で数えていた「行為」は、それを繰り返し行うことで、つまり身体化が進むことで、頭の中で抽象的に数字を操ることができるようになり、これは「思考」と呼ばれることになる。森田は、数字を使った行為と思考は分化できないと考える。この考えに従えば、ことばを使った言語行為も、身体化の過程の中で、思考と切り離せなくなっていることになる。私たちの思考と身体化された言語行為は一体だということだ。

デジタル・テクノロジーも、私たち人間が環境の中に作り出した一つの道具だと考えることができる。道具が、人間の思考・認知と結びつくためには、身体化の過程が欠かせない。とりあえず道具を手にしたところで、それが身体化されないものならば、思考や学習に、直接は結びつかないのだ。

†言語習得・言語使用は社会性の中で起こる

言語活動の根幹は、他者との関係性にある。自分を含めた環境との関係性の中での意味づけが言語活動だと言っていい。つまり、言語活動には、他者との相互交渉（インタラクション）が不可欠である。第2章、第3章では、乳幼児の言語習得において、保護者（または周りの大人）との相互交渉がなければ、ビデオを見せても、デジタル絵本を与えても、あまり効果は期待できないことを見てきた。

まず、子どもと同じものに視線を使って共同注意（ジョイント・アテンション）を促し、対話的質問をタイミングよく行うことで、語彙の習得が促進される。その一方で、大人が自分のスマートフォンなどに夢中になり、子どもとの相互作用の質と量が落ちると、子どもの言語発達にマイナスに働いてしまう。デジタル・テクノロジーの使用を子どもの言語学習に役立てるには、人間の介在が必要だということだ。

双方向型のデジタル・テクノロジーは、相互交渉をうまく言語習得のツールとして取り入れることで、有効に利用できる。こうした例として、本書では、インタラクティブ型のオンラインゲームや、ＳＮＳ、アバターを使ったバーチャル・リアリティーの言語学習ツールの可能性を見てきた。ＡＩ技術の向上で、社会ロボットとの会話を通じながらの言語学習も、ある一定以上の年齢の子どもたちには期待が持てる話もした。ただ、いずれも、効果をもたらすか否かは、相互交渉の量と質にかかっている。

ＡＩの登場で、デジタル・テクノロジーも、文化の多様性の一つと考えるべき時代がきているのかもしれない。今までは、人間同士のコミュニケーションを前提としてきたが、そろそろ人工物もコミュニケーション対象の一つとしてとらえるべきだろう。ＡＩは、少なくとも今の技術的アプローチ（深層学習）では、人間とはまったく異なるプロセスで言語コードを使う対象である。場面や相手に応じた適切な反応ができないこともあるだろうし、空気を読んだ発言をしてくれないこともあるだろう。背景知識がないために、誤解することもあるだろう。こうしたＡＩとのコミュニケーションは、ある意味、異文化コミュニケーションであり、柔軟な対応ができる力が求められる。

†言語習得・言語使用は感情や情緒の伝達を本質に持つ

社会性との関連で、もう一つ、言語習得・言語使用の重要な点は、その本質が人間の思考だけでなく、感情・情緒（英語では affect）の伝達にあるということである。人間は、自分の興味や関心を人にも伝えたい、自分の感情や欲望を人にもわかってもらいたい、相手に共感してほしいという動機のために、コミュニケーションを行う。言語の本質は、思考および感情・情緒の伝達であり、その共有である。

私たちは、他者に共感する能力を生まれつき持っている。サルの行動観察から偶然に発見された脳内のミラーニューロンの話を聞いたことのある読者もいるだろう。サルは、別のサルがモノを持ち上げているのを見るだけで、自分は持ち上げていないのにもかかわらず、モノを持ち上げる際に活動する脳の部位の一部が反応する。このミラーニューロンは、他人の痛みに対し、自分は痛みを感じていなくても反応する。痛みだけでなく、人間は興味や喜びなど、さまざまな感情を共感・共有して生きている。デジタル・ゲームやSNSなどのツールが、デジタル世代にとって魅力的なのは、これらのツールが、彼らの興味、関心、喜び、欲望などといった感情を表出させ、そうした感情を共有するための言語使用を助長するからかもしれない。

もちろん、言語以外の方法でも私たちは感情表現を行っている。顔の表情や、しぐさ、態度、声などである。AI技術者たちは、AIが人間の感情を読み取れるよう、人間の顔の基本感情表現（喜び、怒り、悲しみ、驚きなど）や身体表現などをAIに学習させたりしている。ただ、人間の感情表現はかなり厄介なことがわかっている。ある心理学の実験で、被験者にまず喜んだ顔や、怒りの顔などをしてもらった後、実際に喜んだ時や怒った時にどんな表情をしているかを調べてみたところ、同じ人でも同じ感情の時に、約80%は違う表情をしていたという（Barrett, 2019）。しぐさや声も同じで、私たちは、相手や環境、その時の体調など、さまざまな理由で、非常にバラエティーに富んだ形で感情表現をしている。私たち人間も、相手の感情を読み誤ることはよくある。

ただ、言語表現は、感情の非言語的表現の代用でも対峙するものでもない。実際、子どもたちの語彙数が増えても、彼らがことばと一緒に行う非言語による感情表現の量は変わらない。発達心理学者のブルームは、子どもは単に感情を表現するために言語を使うのではなく、感情を周りと共有したり、感情に対して何らかの行為（アクション）を求めるために使うのだといっている（Bloom, 1998）。

従来の言語習得研究では、言語と感情との関係性は、言語と認知との関係性と比べると、あまり関心を集めてこなかった。しかし最近は、人間の認知と感情は切り離すことができないという考えが主流になりつつあり、言語習得の研究者の間でも、言語と感情との関係性に興味を持つ人が増えてきた。人間は、ハッピーな気分の時のほうが、憂鬱《ゆううつ》な気分の時より、言語習得が進む。その効果は、短い（ハッピーまたは怖い）動画を見ただけでも違いとして現れることがわかっている。デジタル・ゲームが、第二言語・外国語学習のツー

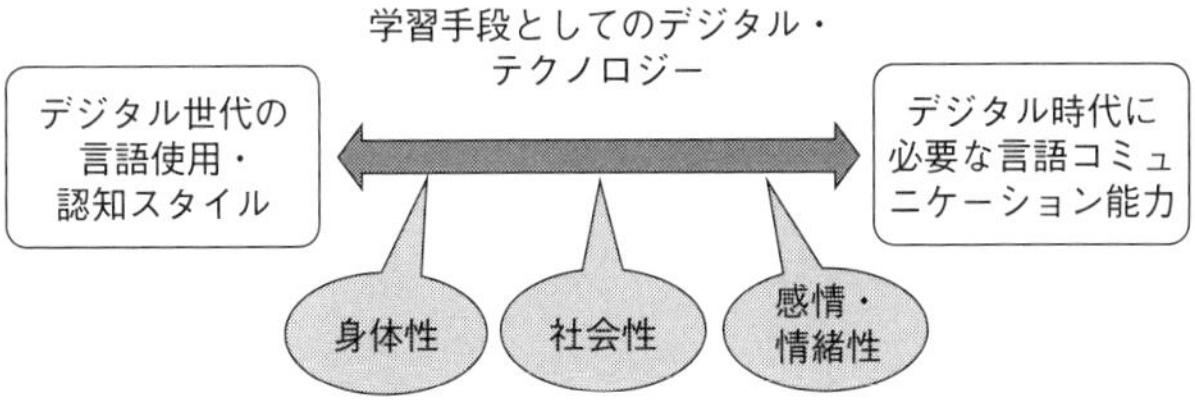

図7－1　デジタル時代の言語教育のありかた

ルの一つとして関心を集めているのも、一つには、デジタル・ゲームを行っている時に沸き起こるプラスの感情や動機づけが、言語習得にも有利に働くと期待されているからである。

†デジタル・テクノロジーを含めた新しい言語教育

こうした言語習得・言語使用の本質（身体化した思考、社会性、感情・情緒の伝達）を念頭に置きながら、デジタル時代の言語教育について改めて考えてみたい。それは、図7－1のような形のものになるのではないかと筆者は考える。

すでに何回か言及しているように、デジタル・テクノロジーは、言語学習の手段としてこれからますますその利用が期待される。さらに、デジタル・テクノロジーを使った言語コミュニケーションが増大・変化していく中で、デジタル・テクノロジーは、人間が身につけたい言語能力自体にも変革をもたらす。次のセクションで詳しく述べるが、この言語能力は、従来議論されてきた言語能力よりもずっと広義で包括的なコミュニケーション能力であると考えられる。

一方、デジタル世代は、どんどん新しいテクノロジーを取り入れ、その言語使用も認知スタイルも常時、変化・発達を遂げていくだろう。デジタル・テクノロジーは、人間の認知機能の一部を肩代わりするものでもあることから、うまく使えば、人間の認知機能を拡大する魅力的な道具になるが、明確なビジョンがないまま盲目的に依存すると、脳の分析能力や、一つの物事を論理的・批判的に熟慮する力を低下させる可能性がある（Restak, 2012）。第4章で見たように、ＳＮＳのヘビー・ユーザーの子どもたちの間で、論理・分析思考の根幹を担う学習言語の習得が滞ってしまっている可能性が高いのも、その一例である。論理・分析思考から逃げるように、ますますＳＮＳに依存するということになっているのかもしれない。

そのような負のスパイラルを避けつつ、学習手段としてのテクノロジーを選択的・方略的に使いながら、デジタル時代に必要な言語コミュニケーション能力と、デジタル世代の言語使用・認知スタイルとの間の架け橋をするのが、これからの言語教育のありかたではないかと筆者は考える。その際、言語の持っている身体性、社会性、感情・情緒の伝達を補う、または十分に活かすような形で、デジタル・テクノロジーを使い、人間の言語使用の本質にそいながら、橋渡しを果たすのが、教師であり、保護者や社会全体の役割であろう。ここには、人間の直接介入が欠かせない。この先、どんなに優秀なAIが開発されても、教師や保護者の果たす役割に取って代わることはできないだろう。

ここで重要な点は、図7－1で、矢印が双方向になっていることだ。教師や保護者の役割は、デジタル世代を、必要な言語コミュニケーション能力を身につけられるように一方的に「教育」するのではない。デジタル世代の言語行動・認知スタイルを常に把握しながら、子どもたちに身に着けてもらいたい能力（この能力自体もテクノロジーの進化とともに随時修正が必要だろう）を見極め、子どもたち自身が、両者をうまく融合させていけるように間を取り持つことが、これからの言語教育の役割だと考える。

3　デジタル時代に必要な言語コミュニケーション能力

†包括的なアプローチの必要性

では、デジタル時代に必要な言語コミュニケーション能力とは、一体どのような能力なのだろう。デジタル・テクノロジーの進化と使用の拡大が進む中で、コミュニケーションはますますマルチモダル（複数感覚様式）化し、言語と非言語の境界線もあいまいになってきている。したがって、ここではまず、言語コミュニケーション能力を、言語を主としたマルチモダルの媒体でのコミュニケーションに必要な能力と定義することにする。逆に言うと、ここでの言語コミュニケーション能力には、非言語要素も当然入ってくる。

さらに、この能力は、コンテクストと離れて個人に内在するものではなく、他者や言語使用環境といったコンテクストの中で定義されるものだと考える。この部分は少しわかりにくいかもしれないので、会話をする時の言語能力というものを例に考えてみよう。

会話はひとりではできない。対面であろうと、Zoomなどのプラットフォームを媒介しようと、特定の媒体を用いた特定のコンテクストの中で、相手との共同作業で会話は遂行される。相手が沈黙が多く、あまり話してくれなかったり、機嫌が悪そうにしていたり、強いアクセントがあって聞きにくかったりしたら、会話はスムーズに進まないだろう。その逆に相手がとても協力的で、たくさん相づちを打ってくれたりすると、会話が弾む。難しいと思っていた商談がうまく進むかもしれない。会話はそもそも相手とのやりとりの中で成立する。だから会話の能力も、自分だけで、コンテクストから切り離した形では規定できないのだ。

デジタル時代に必要な言語コミュニケーション能力を具体的に記述するのは困難だ。なぜなら、デジタル・テクノロジーの進歩はあまりに目まぐるしく、10年後どころか5年後ですら、どのような進化を遂げているのか、予測不可能だからだ。したがって、これからの言語コミュニケーション能力を考えるにあたっては、変化に対応できる柔軟なアプローチが大切だろう。さらに、すでに言及したとおり、言語だけに特化するのではなく、言語を中心としながら、より広義で包括的なものとしてとらえる必要がある。つまり、従来の言語教育で考えられてきた言語能力におさまらない、総合的なコミュニケーション能力ということになるだろう。

†基本的言語知識

筆者は、デジタル時代に必要な言語コミュニケーション能力を、大きく分けて基本的言語知識と、その知識を自律的に、社会的に、そして創造的に使う能力（それぞれ、自律的言語使用能力、社会的言語使用能力、創造的言語使用能力と名づける）であると提案したい。ただ、自律的言語使用能力、社会的言語使用能力、創造的言語使用能力は、それぞれ完全に独立した能力ではなく、基本的言語知識を使用する能力の、大切な側面を別々に強調したものと考える。したがって、この3つの能力は、互いに深く結びついている。

基本的言語知識とは、言語を使用するにあたって必要な言語知識全般をさす。これは、従来、言語学や言語教育で考えられてきたコミュニケーション能力（communicative competence）の一部に相当するものである。コミュニケーション能力の把握には、さまざまなモデルが今までに提唱されているが、第二言語・外国語習得で一番よく知られている代表格として、カナレとスウェインが1980年に提唱したモデルがある。

このモデルによると、コミュニケーション能力は、文法的能力（grammatical competence）、社会言語能力（sociolinguistic competence）、方略的能力（strategic competence）の3つから成るといわれている（Canale & Swain, 1980）。文法的能力とは、文を正確に理解したり、文法ルールにのっとり文を構築するための知識で、そこには文法知識だけでなく、語彙や形態素（意味をもった最小単位のこと、第3章参照）、音声、意味に関する知識が総合的に含まれる。次の社会言語能力とは、社会文化的な言語使用のルールを正しく理解し、その場に応じて適切に言語を使用するための知識である。たとえば、同じリクエストをするのでも、会社の大切な顧客にするのと、親しい友人にするのとでは、社会文化的な言語使用のルールが違うので、ことばを使い分ける必要がある。基本的言語知識は、従来のコミュニケーション能力モデルにあてはめると、この文法的能力と社会言語能力の部分に相当する（ちなみにカナレとスウェインの3つ目の能力である方略的能力は、コミュニケーションの目的を達成するために用いる言語的・非言語的なさまざまな方略をさす。この能力は、言語知識ではなく、言語を使用する能力に相当するので、筆者の考える基本的言語知識には含まれない）。

今までの学校における言語教育は、この基本的言語知識の習得に大きな労力を注いできた。しかし、知識を持っているだけでは言語を使えない。そこで、カナレとスウェインのいう方略的能力を含むさまざまな言語を使用するための能力が必要になる。特にデジタル時代では、基本的な言語知識をもとにしながらも、マルチモダルな媒体を駆使し、言語能力だけにとどまらず、非言語能力をも十二分に活用した形での、言語コミュニケーションを行う力が求められる。

†自律的言語使用能力

では次に、こうした基本的言語知識を使うための能力を詳しく見ていこう。すでに述べたように、言語使用能力には3つの側面がある。まずは、自律的言語使用能力から始める。

今やインターネット上には膨大な情報が溢れている。その中には虚偽の情報も少なくないし、害はなくても、無益なものもたくさんある。テクノロジーへの無防備な依存は、基本的言語知識や他の認知機能の習得・発達にもマイナスな影響を与えかねない。そこで重要になってくるのが、自律的言語使用能力だ。ここでいう自律とは、英語でいう autonomous という意味で、目的を持って、自主的に言語活動を行う能力ということだ。つまり自律的言語使用能力とは、多くの言語情報を効率よく処理し、その中から、自ら必要な言語情報を取捨選択し、批判的な視点を持ちながら、分析・理解する言語能力をさす。

インターネットは、膨大な情報（その中には、映像だけといった非言語情報だけのものもあるが、大部分は言語を介した情報である）を提供してくれるが、情報は知識ではない。私たちの自発的な注意や、記憶や認知判断、意味づけなどを伴うものだけが、知識となる。インターネットから単に受容した情報は、脳科学の知見からも記憶に残りにくいことがわかっている（Restak, 2012）。したがって、どの言語情報を知識に変換するのかを決めたり、自ら問題を設定したりといった、言語と認知との境界線上にある能力もここに含まれる。なぜなら前にも見たように、思考と身体化された言語行為は切り離せないからだ。さらに、どの情報が信頼に足りうるのか、フェイクなのかを判断するため、書き手や話し手の意図を理解する力、インターネット上の言語情報のルールを自ら発見したり、言語について言語で考えるメタ言語能力なども自律的言語使用能力に含まれる。

†社会的言語使用能力

自律的言語使用能力に加え、社会的言語使用能力も大切だと思われる。カナレとスウェインのコミュニケーション能力の構成部分に、社会言語能力というものがあった。これと似たような名称で紛らわしいが、両者が意味することは違う。社会的言語使用能力とは、社会規範としての言語知識ではなく、デジタルおよび非デジタル空間内で社会ネットワークを構築するための言語使用能力をさす。

従来の言語教育でのコミュニケーション能力は、カナレとスウェインのモデルも含め、能力が基本的に個人に内在するものとしてとらえられていた。しかし、社会的言語使用能力で求められているのは、自らの基本的言語知識や非言語知識（世界に関する知識など）を、言語を通じて他者と共有したり、他者とともに新しい知識を構築したりすることで、インターパーソナルな空間（つまり、人と人との相互関係が起こる空間）で、知識を拡大することのできる能力である。デジタル時代には、知識やスキルが、他者とのネットワークの中で構築される機会が、ますます拡大していくと予想される。時間や距離に拘束されない空間で、他者との間に有益なネットワークを築きながら、個人および集団の知識を拡大できる能力を培うことは重要であろう。

アメリカの企業が従業員に求める能力を14万以上もの採用広告をもとに分析した２０２０年のある研究では、最も大切だと考えられていた能力が口語コミュニケーション能力、2番目が読み書きによるコミュニケーション能力、そして3番目が他者と協力して作業を行う能力だった（Rios et al., 2020）。つまり端的に言ってしまえば、デジタル時代の労働市場で求められている能力とは、言語を駆使しながら他者と協力して生産活動を行える能力ということになろう。従来と違う点は、個人に内在する資質（自己管理能力、プロ意識、リーダー資質など）よりも、他人との関わりの中で生産性を高めることのできる能力がより高く評価されている点である。言語能力にしても、個人に内在する能力というより、言語を使って他人と協調しながらタスクを遂行する力が大切だと考えられている。

デジタルな空間では、現実空間とは異なった社会ネットワーク構築のためのコミュニケーション・スキルが必要なこともある。たとえば、複数のアバターを使い分けながら、他者とのコミュニケーションを行ったり、ＡＩなどの非人間とのコミュニケーションを行ったりすることなどだ。多様性に対応できる柔軟な姿勢や、言語情報から相手の思考を理解するだけでなく、感情・情緒を感知したり、共感を深めることのできる能力も、社会的言語使用能力に含まれる。

†創造的言語使用能力

3つの能力のうちの最後は、創造的言語使用能力である。これは、主に言語情報から変換された既存の知識を再構成・再構築したり、新しいコンテクストへの植え替えを行ったりする能力をさす。このプロセスは言語行為を通して行われるが、対象となる情報の中には、映像や音など、非言語情報も含まれる。言語行為も、複数のコミュニケーションモー

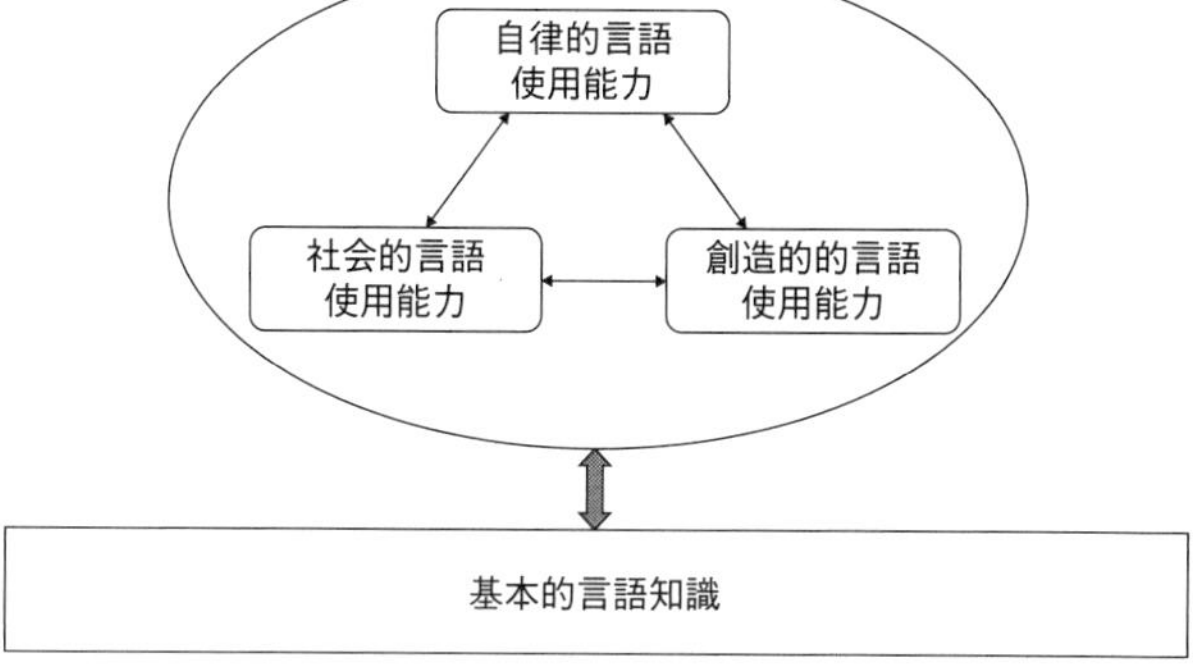

図７－２　デジタル時代に必要な言語コミュニケーション能力

ド（つまりマルチモダル）を通して行われることが今後は増えていくことだろう。

創造性というと、ある日突然、天から啓示が下りてきて、アイディアが浮かぶなどといったイメージがあるかもしれないが、創造とは、既存の知識を新しいコンテクストの中で応用するという行為だ。つまり、豊富な知識の基盤がなくてはいけない。したがって、創造的に言語を使い、思考するには、基本的言語知識の構築が土台になる。前にも述べたように、今までの言語教育では、この基本的言語能力の構築に力を注いできた。それは間違いではないし、これからも重要だ。しかし、デジタル時代のニーズに対応していくには、それだけでは不十分であろう。基本的言語知識を自律的に、社会ネットワークを有効に構築しながら、いかに創造的に使っていくのかということが大切であり、言語教育は、そのすべてのプロセスをフォローしていく必要がある。

まとめると、デジタル時代に求められている言語コミュニケーション能力とは、基礎となる言語知識と、目まぐるしく変化していくデジタル環境の中で、その言語知識を適切に使う能力である。基本的言語知識を土台に、言語を自律的・創造的に使い、さまざまな知識(ここでは言語知識だけでなく、学問や生活に関わることなど多種多様な知識を含む)をインターパーソナルな空間で拡張・発展させていく能力である。ただ、基本的言語知識をマスターできないと、他の言語使用能力を発達させることができないというわけではない。言語を自律的に、社会的に、そして創造的に使っていると、基本的言語知識も同時にさらに磨かれていくのである。デジタル時代に必要な言語コミュニケーション能力を図式化すると図7-2のようになるだろう。それぞれの能力は孤立して存在しているのではなく、相互につながり、影響しあっている。

4 これからの言語教育

†デジタル・リテラシーを身につける

では、このような言語教育を目指すには、どのようなことをしたらよいのだろうか。何度も述べているが、デジタル・テクノロジーの進化のスピードは著しいので、具体的なノウハウは、すぐに時代遅れになってしまう可能性がある。したがって、多少、抽象的にならざるを得ない点は、了承していただきたい。以下は、学校における言語教育の立場から主に話を進めるが、家庭内での保護者などによる言語教育にも大筋はあてはまるだろう。

まず、大切なのは、教師が適切なデジタル・リテラシーを身につけることである。デジタル・リテラシーとは、①自分の目的に合ったデジタル・コンテンツを見つけだし、使えること、②目的に応じて、自分でデジタル・コンテンツを作ることができること（たとえば、ブログを作ったり、動画を作成するなど）、そして③デジタル機器やアプリを使って、コミュニケーションや情報交換ができることだといわれている。教師が常に新しいアプリケーション・ソフトに精通している必要はない。ただ、授業の目的に応じて、相応しいデジタル・コンテンツを自信を持って使えるだけの、最低限の知識とスキルは不可欠である。そして、児童・生徒の言語コミュニケーション能力を促進するために、言語習得の本質である身体性、社会性、感情・情緒の伝達をどのようにフォローしながら、デジタル機器を有効に使うべきかを模索する必要がある。

教師へのICT研修ももちろん大事だが、基本的には、教師自らデジタル・リテラシーを常に高めていくたゆまぬ努力が必要となってくるだろう。最近では教師用の情報サイトがいくつもあるし、Webinar（ウェブ上で開催されるセミナー）や動画などで情報を得ることもできる。教師自身も、積極的に情報交換をし、社会的ネットワークを構築・利用する能力を高めなくてはいけない。デジタル・テクノロジーを媒体とした授業では、教師のデジタル・リテラシーが低いと、授業の質を落とすだけでなく、児童・生徒のやる気をそぐ結果になってしまう。

†児童・生徒の言語使用・認知スタイルを理解する

デジタル・リテラシーに加えて大切なのは、児童・生徒の言語使用や認知スタイルを理解することである。デジタル世代の子どもたちは、ゲームや動画配信などを通じて、デジタル空間でもうすでに創造的な言語活動を行っているかもしれない。そうした彼らの活動空間や能力をうまく応用しながら、さらに創造性を向上させてあげる機会を模索することが有効だろう。

逆に、デジタル依存が行きすぎている場合には、基本的言語知識が十分に身についているかどうか、何を補強してあげるべきかを見極めなくてはならない。たとえばデジタル世代の間では、音楽を聴きながら、宿題をする合間に、SNSをチェックするといったマルチタスク行動がよく見られるが、脳科学者によると、人間の脳は本来、マルチタスクを行うようにはできていないという。なぜなら、脳は情報を逐次処理しているからだ。2つ以上の認知作業を同時に行う場合、一つの認知作業で行った思考の回路を、前頭葉がいったんオフにし、別の思考回路をオンにする必要があるのだが、これは極めてロスが多い。この思考回路のスイッチは、ミリ秒単位で行われるので、本人は自分がマルチタスクに適応していると思い込んでいるかもしれないが、実はマルチタスクは認知効率を落とし、ミスの発生率を高めているという（Restak, 2012）。こうした行動を恒常的に行っているような生徒には、たとえばマルチタスクがいかに認知効率が悪いかを体感できるようなタスクを課してみるなどといった工夫があってもよい。

第5章で、プレンスキーの、デジタル・ゲームで育ってきた世代は、それ以前の世代と異なる認知プロセスや学習への態度を持っているという話を紹介した。プレンスキーの提唱は、今後詳細に検証してみる必要はある。ただ、いずれにせよ、デジタル世代の認知・学習スタイルや嗜好をきちんと把握することは大切だ。そうすることによって、効果的なタスクやアクティビティを授業で導入できる。

†タスクを用いた言語教育法

カリキュラムやレッスンプランの構築、評価は、基本的言語知識の構築だけにとどまらず、自律的言語使用能力、社会的言語使用能力、創造的言語使用能力を意識した形で進めたい。学校教育では、従来、あらかじめ選択した情報を子どもたちに与え、それを知識化させることに主な力を注いできた。知識化の重要性は、デジタル時代でも変わりはない。むしろ、情報過多の時代にあって、情報を知識化するための具体的な助けを必要としている児童・生徒が増えている可能性はある。ただし、これからは、それだけでは不十分だろう。

言語教育では、近年、言語使用を促すためのタスクを用いた言語教育法（タスク・ベースの教授法）などが注目を浴びている。特に言語習得にはある程度の繰り返しが不可欠なことから、タスクを繰り返して授業で導入することが提唱されたり、タスクの繰り返し効果に関する研究なども進んでいる（Bygate, 2018）。

ただ、今までのアプローチの多くは、教師主導で生徒にタスクを繰り返させるというものであった。これに対し、英国ウォーリック大学のピンターは、英語学習者の小学生に、自らを紹介する動画を英語で作成し、安全性を確保したサイトへアップする課題を出したところ、子どもたちは、少しでもいい動画にしたくて、自ら何度も何度も練習を繰り返したり、友だちのアドバイスを得たりしながら、動画を作成したという(Pinter, 2019)。これなどは、子どもたちの自律的言語使用能力や社会的言語使用能力を高めるのに、効果的なタスクだといえるだろう。

†反転授業

ある程度の自律性が身についている生徒には、最近注目されている反転授業なども、さらなる自律性や創造性の向上に役立つことが期待できる。従来の授業の多くは、教師が講義を行い、生徒はノートをとったりして、講義内容を理解し、その内容理解を補足したり、理解度を確認するために、宿題やテストが課されたりする形態をとっていた。反転授業では、その順序を逆にするのである。

生徒は教科書や他の教材を自ら学習し、ビデオにとった講義内容を授業に来る前に見ておく。宿題も事前に出し、授業の前に提出させてもよい。教師は、生徒がどんなところに疑問を持っているのか、どのあたりの理解が滞っているのかを、授業の前に把握できる。それに基づいて、授業では、生徒が自主学習でわからなかったところを重点的におさえたり、発展学習やクラスメートとの間のディスカッションなどに授業時間の多くを費やすのである。授業の前に提出させる課題にグループワークを取り入れたり、教室の外のリソースを使うようなタスクを取り入れることで、自律的、社会的、創造的な言語使用能力を伸ばすことにつなげることができる。

†評価の新しいアプローチ

デジタル時代には、評価の仕方や、評価対象にも新しいアプローチが必要である。デジタル・テクノロジーを使って言語活動を行う機会が多くなるにつれ、第6章でも触れたように、評価もデジタル・テクノロジーを使った形で行うほうが、現実の言語使用能力をより正確に反映できるということが多くなってくるだろう。

私たちの言語使用がますますマルチモダル化し、言語と非言語情報、話しことばと書きことばの境界線があいまいになっていく中で、脱コンテクスト化した語彙や文法のテストをしたり、リスニング、スピーキング、リーディング、ライティングといった4技能ごとの言語テストを行うことの妥当性が弱くなっていると思われる。デジタル・テクノロジーの発達で、これからますます個人の進捗状況、能力の特徴に合わせカスタマイズされた評価が可能になり、画一的な基準でパフォーマンスを点数化して他の学習者と比較するような形の評価は、現実のニーズからも乖離《かいり》していくと予想できる。

ただ、デジタル・テクノロジーは、言語教育の目標や方法に大きな影響を与えることは確かだが、何でもデジタル化すればいいというわけではない点に注意したい。デジタル・テクノロジーのプラスの部分に注目するあまり、大切なことを見落としてはならない。その一つが、デジタル・テクノロジーの教育現場での利用と倫理の問題だ。これは言語教育に限らず、教育全体に関わる重要な問題だ。

†デジタル・テクノロジーと倫理の問題

デジタル・テクノロジーの進化で、教室での学習プロセスや結果に関する膨大なデータを収集することが簡単になってきた。大学では、Zoom、Microsoft Teams, Bluejeans などを使ってのオンライン授業は、今や録画するのが普通だ。授業中のチャットでのやりとりや、デジタル上で行われたテストなどの結果、学生がどれだけ電子教材へアクセスしたか、どれだけの時間を個々の教材や課題に費やしたかといった個人情報が蓄積されていく。

こうした教育データは、さまざまな形で利用され始めている。教員は、個々の学生が授業に来る前に教材や課題にどれくらいの時間を費やしたか、授業中にどれくらい発言したのかといった情報を、逐次入手することも可能だ。また、学生が授業中に教材のどの部分を見ているのかをヒートマップ（視線の集中の有様を示したもの、第3章、図3－3を参照）

で示したり、誰がテキストのどこで躓《つまず》いているかなどを、リアルタイムで示したりするシステムなども導入され始めている。リアルタイムで出されるデータに基づいて、授業のスピードを調整したり、説明を繰り返したりするなど、その場で適宜対応することで、効果的な使用が期待できる。実際日本でも、このようなデータの活用で、学生の学習効果が向上したとの報告がでてきている（安浦２０２０）。

さらに大学といった一つの機関内だけでなく、生まれてから大学を卒業するまで、または一生の学習データを一つにまとめることで、その個人の学びの履歴が一望できるような国民の学習履歴データベースの構築も始まりつつある。既にオランダやマルタ共和国では、２０１７年より学習履歴を一元化するプロジェクトを導入している（QA Updates, 2017）。

このように、デジタル化で可能になった授業内外の教育データを上手に使うことで、教授法や学習効果の向上につなげることができたり、雇用者にとっての利便性を上げるメリットがある一方、この大量の個人データをどのように扱うのかという倫理的な問題がある。こうしたデータの所有権は誰にあるのか。誰がどこまで、こうした情報にアクセスすることができるのか。個人情報をどのように管理するのか。セキュリティーは万全なのか。個人の尊厳が損なわれた時に、どのような対処をすべきなのか。どのような内容の同意書を誰からとるべきなのか。さらに、今後ＡＩが教育データを分析した場合、その分析結果の妥当性や、使用にあたっての倫理性をどう判断するのかといったような、非常に難しい問題が山積している。たとえば、ある種の学習パターンを持つ学生は将来の離職率が高いという予想をＡＩがした場合、そうした情報がその学習パターンを持つ学生の不利益につながるようなことがあってはならない。筆者の勤務するアメリカの大学でも、オンライン授業が録画されることで、個人情報の漏洩《ろうえい》を恐れた中国からの留学生が、授業中に自由に発言ができなくなるというケースがあり、問題となった。

　倫理的な問題は、デジタル・テクノロジーの進化の前に大幅に遅れをとっており、早急な対策が必要だ。今のところ各大学が個別に倫理ガイドラインを設定しているような状況だが、大学によって対応がまちまちでは好ましくない。初等・中等教育では、倫理の問題は、まだ手つかず状態だと言っても過言ではないだろう。国家レベル、望ましくはグローバルなスケールでの倫理ガイドラインの設定が必要だ。

†まとめ

　この章では、デジタル時代に必要な言語能力について考えてみた。デジタル時代には、従来からいわれている言語コミュニケーション能力を拡張し、柔軟性を持たせた能力が必要である。本書では、基本的言語知識を土台に、自律的言語使用能力、社会的言語使用能力、創造的言語使用能力からなる、非言語要素も含む、包括的・総合的なコミュニケーション能力のとらえ方が必要なのではないかと提案した。学校の言語教育においても、新しい言語教育観を持つことをせまられている。

人間の言語習得・言語使用の本質には、身体性、社会性、感情・情緒の伝達がある。教師や保護者は、子どもたちの言語使用や認知スタイル・嗜好を理解した上で、こうした人間の本質性に寄り添う形でデジタル・テクノロジーを導入することにより、子どもたちが目指したいコミュニケーション能力を身につけるための橋渡しの役割を担っているのである。この橋渡しには、人間の直接介入が不可欠である。今後、どんなに技術が進んでも、教師や保護者が子どもたちの言語発達・使用に果たす役割の重要さは変わらないだろう。

デジタル・テクノロジーは、私たちが多様性や個性を謳歌するために、ますます重要な役割を果たすであろう。しかし、一歩誤ると、画一化・没個性化の方向へ向かってしまう危険性もはらんでいる。テクノロジーの使用は、人間の認知機能を拡大する一方、使い方を誤れば、認知機能を衰えさせる原因にもなりうる。デジタル・テクノロジーとの共存には、選択的・方略的な使用が大切である。デジタル・テクノロジーを教育に導入するにあたっては、格差の問題や倫理の問題も社会全体でしっかりと考えていく必要がある。テクノロジーは諸刃の剣であることを忘れてはいけない。

あとがき

筆者は、『ドラえもん』ののび太と同い年で、自分の家にもドラえもんがいたらどんなにいいことかと思いながら育った世代である。残念ながら、ドラえもんはまだ我が家にはいないが、子どもの頃夢見ていたことの多くは、現実になってきた。今している腕時計からも、ウルトラ警備隊よろしく通話ができるし、異国の地でも機械翻訳で現地の人と話ができる。かわいい声で、ロボットがお茶の用意ができたことを知らせてくれる。私たちの言語コミュニケーションも、デジタル機器に大きく依存するようになってきており、必要だと思われるコミュニケーション能力も大きく変化してきた。そして今後も常に変化していくだろう。

デジタル・テクノロジーは私たちの生活を便利にし、認知機能を拡張してくれる。しかしその一方で、使い方を誤ると、効果がないばかりか、認知機能にマイナスに働く可能性も秘めている。これからどのようにデジタル・テクノロジーと共存していくのかは、大きな課題だろう。本書では、言語に焦点を当てて、デジタル・テクノロジーが子どもたちの言語発達や言語教育へ果たす役割について、今の時点で科学的にわかっていることを見てきた。今後、デジタル・テクノロジーをいかに教育的に有効に使っていくかの判断をするにあたり、本書が少しでもお役に立つなら幸いである。

本書の執筆は、2019年9月より2020年8月まで、博報財団からフェローシップを受け、一年間、早稲田大学に滞在することができたことにより可能になった。日本のデジタル世代との交流を可能にしてくれた博報財団に感謝を表したい。また、早稲田大学滞在中、私の受け入れを引き受けてくださった李在鎬先生には大変お世話になった。李先生はお忙しい中、丁寧に草稿を読んでくださり、貴重なコメントをたくさんくださった。また、デジタル世代の立場から、いろいろなヒントをくれた李研究室のゼミの皆さんにもとても感謝している。

李先生のゼミで、SNSの使用と中学生の学習言語習得の関係について発表させていただいた際に、李先生が「退化は進化」というコメントをくださったのが印象的であった。確かに私たちは、どうしても自分が慣れ親しんでいるものさしに頼って物事を判断してしまう傾向がある。一見、退化のように見える現象も、見方を変えれば進化かもしれない。普遍的に大切なものもある一方で、時代のニーズに合わせて柔軟に変えていかなくてはいけない部分もある。デジタル・テクノロジーの教育への功罪は、効果があるか、ないかといった単純な形で語られやすいが、多角的な視点から評価していく必要がある。

原稿に丁寧に手をいれてくださった筑摩書房編集部の河内卓さんにも感謝したい。河内さんは、校正・編集の精度を上げるべく、紙にプリントアウトして校正してくださったらしい。

最後に、いつもテクノロジーの話に楽しく付き合ってくれたパートナーのドナルド・バトラーに本書を捧げたい。機械翻訳もあることだし、最後まで読んでくれることだろう。

2020年11月　コロナ禍真っ只中のアメリカ、フィラデルフィアにて

バトラー後藤裕子

引用文献

和文文献・ウェブサイト

新井紀子（2018）．『AI vs. 教科書が読めない子どもたち』東洋経済新報社.

小田登志子（2019）．「機械翻訳と共存する外国語学習とは」『東京経済大学人文自然科学論集』第145号，3-27.

加納なおみ・佐々木泰子・楊虹・船戸はるな（2017）．「打ち言葉における句点の役割」『お茶の水女子大学人文科学研究』13, 27-40.

カヴァナ、バリー（2012）．「英語、日本語におけるオンライン・コミュニケーションの対照分析　UMCを中心に」『青森県立保健大雑誌』13, 13-22.

木村忠正（2018）．『ハイブリッド・エスノグラフィー——ネットワークコミュニケーション研究の質的方法と実践』新曜社.

QA Updates（2017）．「生涯学習にブロックチェーン——マルタ政府が国民の学習履歴管理に導入へ」https://qaupdates.niad.ac.jp/2017/11/28/malta_blockchain/

教育のための科学研究所（2017）．「リーディングスキルテスト」https://www.s4e.jp/about-rst

国立教育政策研究所（2019a）．「OECD生徒の学習到達度調査　2018年調査補足資料」https://www.nier.go.jp/kokusai/pisa/pdf/2018/06_supple.pdf

国立教育政策研究所（2019b）．「OECD生徒の学習到達度調査　2018年調査問題例」https://www.nier.go.jp/kokusai/pisa/pdf/2018/04_example.pdf

国立病院機構久里浜医療センター（2019）．「ネット・ゲーム使用と生活習慣についてのアンケート結果」https://www.jpa-web.org/blog/uncategorized/a221

柴田博仁・大村賢悟（2018）．『ペーパーレス時代の紙の価値を知る——読み書きメディアの認知科学』産業能率大学出版部.

総務省情報通信政策研究所（2020）．「令和元年度情報通信メディアの利用時間と情報行動に関する調査報告書」https://www.soumu.go.jp/main_content/000708015.pdf

瀧田寧・西島佑編（2019）．『機械翻訳と未来社会』社会評論社.

都築学・宮崎伸一・村井剛・早川みどり・飯村周平（2019）．「大学生におけるSNS利用とその心理に関する研究」『中央大学保健体育研究所紀要』37号，7-33．
デジタルコンテンツ協会（2020）．「デジタルコンテンツ白書2020」https://prtimes.jp/main/html/rd/p/000000012.000037875.html
内閣府（2020）．「令和元年度青少年のインターネット利用環境実態調査調査結果」https://www8.cao.go.jp/youth/youth-harm/chousa/r01/net-jittai/pdf-index.html
中島和子（2016）．『バイリンガル教育の方法——12歳までに親と教師ができること』アルク．
西川勇佑・中村雅子（2015）．「LINEコミュニケーションの特性の分析」『東京都市大学横浜キャンパス情報メディアジャーナル』16, 47-57.
西島佑（2018）．「機械翻訳は言語帝国主義を終わらせるのか？　その仕組みから考えてみる」*AGLOS: Journal of Area-Based Global Studies, Special Issue, Workshop and Symposium 2016-2017*, 1-24.
日本小児学会こどもの生活環境改善委員会（2004）．「乳幼児のテレビ・ビデオ長時間視聴は危険です」https://www.jpeds.or.jp/uploads/files/20040401_TV_teigen.pdf
日本放送協会（2020）．「特設サイト　新型コロナウイルス」https://www3.nhk.or.jp/news/special/coronavirus/school-guideline/#mokuji2
博報堂メディア環境研究所（2019）．「メディア定点調査」https://www.mekanken.com/mediasurveys/
バトラー後藤裕子（2011）．『学習言語とは何か——教科学習に必要な言語能力』三省堂．
バトラー後藤裕子（2015）．『英語学習は早いほど良いのか』岩波新書．
日野泰志（2015）．「仮名・漢字表記語の性質と読みのプロセス」『藤健一教授退職記念論集』，165-181．
藤本徹（2007）．『シリアスゲーム——教育・社会に役立つデジタルゲーム』東京電機大学出版局．
ベネッセ教育研究開発センター（2005）．「第3回幼児の生活アンケート」https://berd.benesse.jp/jisedai/research/detail1.php?id = 3287
ベネッセ教育総合研究所（2018）．「乳幼児の親子のメディア活用調査レポート2018年」https://berd.benesse.jp/jisedai/research/detail1.php?id=5268

MarkeZine 編集部（2019）.「10代 Twitter アカウント所有率は 8 割超　世代別＆性別の利用目的も明らかに」https://markezine.jp/article/detail/31391
松尾豊（2015）.『人工知能は人間を超えるか――ディープラーニングの先にあるもの』角川 EPUB 選書.
松尾豊（2020）.『深層学習の先にある人工知能の研究について』人工知能学会合同研究会（オンライン開催）での基調講演（2020/11/21）.
三宅和子（2013）.「モバイル・メディアにおける絵文字の盛衰」『日本語学』32（7），72-29.
三宅和子（2018）.「社会言語学者が驚いた、SNS が生み出した新しいことばの動き」https://newswitch.jp/p/14107
村野井均（2016）.『子どもはテレビをどう見るか――テレビ理解の心理学』勁草書房.
森田真生（2015）.『数学する身体』新潮社.
文部科学省（2019a）.「OECD 生徒の学習到達度調査2018年調査（PISA2018）の結果公表を受けての萩生田文部科学大臣のコメント」https://www.mext.go.jp/a_menu/shotou/gakuryoku-chousa/sonota/detail/1422960.htm
文部科学省（2019b）.「GIGA スクール構想の実現について」https://www.mext.go.jp/a_menu/other/index_00001.htm
文部科学省（2020）.「子供たち一人ひとりに個別最適化され、創造性を育む教育ICT環境の実現に向けて」https://www.mext.go.jp/content/20191225-mxt_syoto01_000003278_03.pdf
安浦寛人（2020）.「教育データの収集と分析　遠隔講義を契機にしてやるべきこと」日本学術会議主催学術フォーラム　COVID-19とオープンサイエンスでの口頭発表.
山口誠（2001）.『英語講座の誕生――メディアと教養が出会う近代日本』講談社選書メチエ.
山本佳則（2019）.「幼児のテレビ視聴，録画番組・DVD，インターネット動画の利用状況」https://www.nhk.or.jp/bunken/research/yoron/20191201_9.html
米川明彦（2017）.「おけまる、それま、卍…なぜ若者言葉は意味不明？」https://www.yomiuri.co.jp/fukayomi/20170831-OYT8T50041/4/
渡辺洋子（2019）.「SNS を情報ツールとして使う若者たち「情報とメディア利用」世論調査の結果から」『放送研究と調査』5月号，38-56.

英文文献・ウェブサイト

Acquah, E. O., & Katz, H. T. (2020). digital game-based L2 learning outcomes for primary through high-school students: A systematic literature review. *Computers & Education, 143,* https://doi.org/10.1016/j.compedu.2019.103667

Alemi, M., Meghdari, A., Basiri, N. M., & Taheri, A. (2015). The effect of applying humanoid robots as teacher assistants to help Iranian autistic pupils learn English as a foreign language. *Proceedings of the 7th International Conference on Social Robotics* (pp. 1-10).

American Academy of Pediatrics, committee on Public Education (1999). Media education. *Pediatrics, 104*(2), 341-343.

American Academy of Pediatrics (2011). Media use by children younger than 2 years. *Pediatrics,128*(5)1040-1045

American Academy of Pediatrics (2016). Children and adolescents and digital media. *Pediatrics,138*(5)e20162593

Amnet (2019). *Children's eBook publishing: A growing trend.* https://amnet-systems.com/childrens-ebook-publishing-a-growing-trend/

Anderson, M., & Jiang, J. (2018). *Teens, social media, & technology 2018.* https://www.pewresearch.org/internet/2018/05/31/teens-social-media-technology-2018/

Anderson, D. R., & Pempek, T. A. (2005). Television and very young children. *American Behavioral Scientist, 48*(5), 505-522.

Anderson, M., & Perrin, A. (2018). *Nearly one-in-five teens can't always finish their homework because of the digital divide.* https://www.pewresearch.org/fact-tank/2018/10/26/nearly-one-in-five-teens-cant-always-finish-their-homework-because-of-the-digital-divide/

Bailenson, J. (2020). *From avatars to Zoom fatigue.* Plenary talk at the Technology, Mind & Society Showcase. American Psychological Association.

Barr, R. (2010). Transfer of learning between 2S and 3D sources during infancy: Informing theory and practice. *Developmental Review, 30,* 128-154.

Barr, R., Linebarger, D. N. (Eds.) (2017). *Media exposure during infancy and early childhood.* Springer.

Barr, R., Shuck, L., Salerno, K., Atkinson, E., & Linebarger, D. L. (2010).

Music interferes with learning from television during infancy. *Infant and Child Development, 19*(3), 313–331..

Barrett, L. F., et al.(2019). Emotional expressions reconsidered: Challenges to inferring emotion from human facial movements. *Psychological Science in the Public Interest, 20*(1), 1–68.

Belpaeme, T., et al. (2018). Guidelines for designing social robots as second language tutors. *International Journal of Social Robotics, 10*(3), 325-341.

Bloom, L. (1998). Language development and emotional expression. In J. G. Warhol (Ed.), *New perspectives in early emotional development* (pp.119–132). Johnson & Johnson Pediatric institute.

Boccanfuso, L., et al. (2017). A low-cost socially assistive robot and robot-assisted intervention for children with autism spectrum disorder: Filed trials and lessons learned. *Autonomous Robots, 41*(3), 637–655.

Brojde, C. L., Ahmed, S., & Colunga, E. (2012). Bilingual and monolingual children attend to different cues when learning new words. *Frontiers in Psychology*. https://doi.org/10.3389/fpsyg.2012.00155

Bus, A. G., Sari, B., & Takacs, Z. K. (2019). The promise of multimedia enhancement in children's digital storybooks. In J. E. Kim, B. Hassinger-Das (Eds.), *Reading in the digital age: young children's experience with E-books; International studies with e-books in diverse contexts* (pp. 45–57). Springer.

Butler, Y.G., Someya, Y., & Fukuhara, E. (2014). Online games for young learners' foreign language learning. *ELT Journal, 68*(3), 265–275.

Butler, Y. G. (2015). The use of computer games as foreign language learning tasks for digital natives. *System, 54*, 91–102.

Butler, Y. G. (2017). Motivational elements of digital instructional games: A study of young L2 learners' game designs. *Language Teaching Research, 21*(6), 735–750.

Bygate, M. (Ed.)(2018). *Learning language through task repetition*. John Benjamins.

Canale, M., & Swain, M. (1980). Theoretical bases of communicative approaches to second language teaching and testing. *Applied Linguistics, 1*(1), 1–47.

Chik, A. (2014). English language teaching apps: Positioning parents and

young learners. *Changing English, 21*(3), 252–260.
Clinton, V. (2019). Reading from paper compared to screens: A systematic review and meta-analysis. *Journal of Research in Reading, 42*(2), 288–325.
Coe, J. E. L., & Oakhill, J. V. (2011). "txtN is ez f u no h2 rd": the relation between reading ability and text-messaging behaviour. *Journal of Computer Assisted Learning, 27*(1), 4–17.
Coltheart, M. (2005). Modeling reading: the dual-route approach. In M. J. Snowling, et al. (Eds.), *The science of reading: A handbook* (pp. 6–23). John Wiley & Sons.
Common Sense Media (2020). *The common sense census: Media use by kids age zero to eight, 2020*. https://www.commonsensemedia.org/sites/default/files/uploads/research/2020_zero_to_eight_census_final_web.pdf
Corballis, M. C. (2009). The gestural origins of language. *Wires Cognitive Science*. https://doi.org/10.1002/wcs.2
Courtney, L., & Graham, S. (2019). "It's like having a test but in a fun way': Young learners' perceptions of a digital game-based assessment of early language learning. *Language Teaching for Young Learners, 1*(2), 161–186.
Csikszentmihalyi, M. (1990). *Flow: The Psychology of Optimal Experience*. Harper and Row
DeStefano, D., & LeFevre, J. A. (2007). Cognitive load in hypertext reading: A review. *Computers in Human Behavior, 23*(3), 1616–1641.
Di Giacomo, D., Ranieri, J., & Lacasa, P. (2017). Digital learning as enhanced learning processing? Cognitive evidence for new insight of smart learning. *Frontiers in Psychology*. https://doi.org/10.3389/fpsyg.2017.01329
Dillon, A. (1992). Reading from paper versus screens: A critical review of the empirical literature. *Ergonomics, 35*(10), 1297–1326.
EdSurge (2020). *Understanding the impact of Coronavirus on K-12 Education* https://www.youtube.com/watch?v=QgBayZPFlGk
Erstad, O., Gilje, Ø., & deLange, T. (2007). Re-mixing multimodal resources: Multiliteracies and digital production in Norwegian media education. *Learning, Media and Technology, 32*(2), 183–198.

Ferguson, C. J., & Donnellan, M. B. (2014). Is the association between children's baby video viewing and poor language development robust? A reanalysis of Zimmerman, Christakis, and Meltzoff (2007). *Developmental Psychology, 50*(1), 129–137.

Garris, R., Ahlers, R., and Driskell, J. E. (2002). Games, motivation, and learning: A research and practice model. *Simulation & Gaming, 33*(4), 441–467.

Gordon, G., et al. (2016). Affective personalization of a social robot tutor for children's second language skills. *Proceedings of the Thirtieth AAAI Conference on Artificial Intelligence*. https://dl.acm.org/doi/10.5555/3016387.3016461

Gunter, B. (2019). *Children and mobile phones: Adoption, use, impact, and control*. Emerald Publishing.

Henschel, A., Hortensius, R., & Cross, E. S. (2020). Social cognition in the age of human-robot interaction. *Trends in Neurosciences, 43*(6), 373–384.

Hillesund, T. (2010). Digital reading spaces: How expert readers handle books, the Web and electronic paper. *First Monday, 15*(4). https://www.semanticscholar.org/paper/Digital-Reading-Spaces%3A-How-Expert-Readers-handle-Hillesund/1cd7e3c26e26d3932100f35131d7020f1b1a1f6a

Hockly, N. (2011). The digital generation. *ELF Journal, 65*(3), 322–325.

Hu, M., & Nation, I. S. P. (2000). Unknown vocabulary density and reading comprehension. *Reading in a Foreign Language, 13*, 403–430.

Hutton, J. S., Dudley, J., & Horowitz-Kraus, T. (2020). Associations between screen-based media use and brain white matter integrity in preschool-aged children. *JAMA Pediatrics, 174*(1), e193869.

Influence Central (n.d.). *Kids & Tech: The evolution of today's digital natives*. http://influence-central.com/trendspotting/kids-tech-the-evolution-of-todays-digital-natives/

Influencer Marketing Hub (2020). *The incredible growth of esports*. https://influencermarketinghub.com/growth-of-esports-stats/

Jensen, S. H. (2019). Language learning in the wild: A young user perspective. *Language Learning & technology, 23*(1), 72–86.

Jiang, J. (2018). *Teens who are constantly online are just as likely to socialize with their friends offline*. https://www.pewresearch.org/fact-

tank/2018/11/28/teens-who-are-constantly-online-are-just-as-likely-to-socialize-with-their-friends-offline/

Junco, R., Heiberger, G., & Loken, E. (2011). The effect of Twitter on college student engagement and grades. *Journal of Computer Assisted Learning, 27*(2), 119–132.

Ke, Z., & Ng, V. (2019). Automated essay scoring: A survey of the state of the art. *Proceedings of the twenty-eighth international joint conference on artificial intelligence* (IJCAI-19), 6300–6308.

Kirkorian, H. L., Anderson, D. R., & Keen, R. (2012). Age differences in online processing of video: An eye movement study. *Child Development, 83*(2), 497–507.

Knoch, U. et al. (2020). Drawing on repeat test takers to study test preparation practices and their links to score gains. *Language testing, 37*(4), 550–572.

Korat, O., & Falk, Y. (2019). Ten years after: revisiting the question of e-book quality as early language and literacy support. *Journal of Early Childhood Literacy, 19*(2), 206–223.

Krcmar, M. & Cingel, D. P. (2014). Parent-child joint reading in traditional and electronic formats. *Media Psychology, 17*(3), 262–281.

Kuhl, P. & Rivera-Gaxiola, M. (2008). Neural substrates of language acquisition. *Annual Review of Neuroscience, 31*, 511–534.

Kuhl, P. K., Tsao, F., & Liu, H. (2003). Foreign-language experience in infancy: Effects of short-term exposure and social interaction on phonetic learning. *Proceedings of the National Academy of Sciences, 100*(15), 9096–9101.

Larsen-Freeman, D. (2012) On the roles of repetition in language teaching and learning. *Applied Linguistics Review,* 3(2), 195–210.

Laufer, B. (1989). What percentage of text-lexis is essential for comprehension? In C. Lauren & M. Nordman (Eds.), *Special language: From humans thinking to thinking machines* (pp. 316–323). Multilingual Matters.

Linebarger, D. L., Moses, A., Liebeskind, K. G., & McMenamin, K. (2013). Learning vocabulary from television: Does onscreen print have a role? *Journal of Educational Psychology, 105*(3), 609–621.

Linebarger, D. L., & Walker, D. (2005). Infants' and toddlers' television

viewing and language outcomes. *American Behavioral Scientist, 48*(5), 624–645.

Marshall, C. C. (2005). *Reading and interactivity in the digital library: Creating an experience that transcends paper.* http://citeseerx.ist.psu.edu/viewdoc/download?doi=10.1.1.76.7532&rep=rep1&type=pdf

Masataka, N. (2014). Development of reading ability is facilitated by intensive exposure to a digital children's picture book. *Frontiers in Psychology, 5,* article 396. doi: 10.3389/fpsyg.2014.00396

Mayer, R. E. (2005). Cognitive theory of multimedia learning. In R E. Mayer (Ed.) *The Cambridge handbook of multimedia learning* (pp. 31–48). Cambridge University Press.

Maynard, S. (1986). On back-channel behavior in Japanese and English casual conversation. *Linguistics, 24*(6), 1079–1109.

Mordor intelligence (2020). *Social robots market – Growth, trends and forecasts* (2020–2026). https://www.mordorintelligence.com/industry-reports/social-robots-market

Movellan, J. R., Eckhardt, M., Virnes, M., & Rodriguez, A. (2009). Sociable robot improves toddler vocabulary skills. In *Proceedings of the 4th ACM/IEEE international conference on human robot interaction* (pp. 307–308). ACM. doi: 10.1145/1514095.1514189

NTT Docomo (2014). *Children's use of mobile phones: A special report.* https://www.gsma.com/publicpolicy/resources/childrens-use-mobile-phones-2014-special-report

OECD (2019). *PISA 2018: Insights and interpretations.* http://www.oecd.org/pisa/PISA%202018%20Insights%20and%20Interpretations%20FINAL%20PDF.pdf

Okuma, K., & Tanimura, M. (2009). A preliminary study on the relationship between characteristics of TV content and delayed speech development in young children. *Infant Behavior and Development, 32*(3), 312–321.

Paolucci, R. (1998). The effects of cognitive style and knowledge structure on performance using a hypermedia learning system. *Journal of Educational Multimedia and Hypermedia, 7*(2/3), 123–150.

Paracha, S., Inoue, A., & Jehanzeb, S. (2018). Detecting online learners' reading ability via eye-tracking. In A. V. S. Kumar (Ed.), *Optimizing*

student engagement in online learning environments (pp. 163–185). Hershey, IGI Global.

Pinter, A. (September, 2019). *10 principles based on 20 years of research, teaching and practices in the area of teaching English to young learners*. A plenary paper presented at the 1st International Conference of the Shanghai Center for Research in English Language Education (SCRELE). Shanghai International Studies University.

Piotrowski, J. R., & Krcmar, M. (2017). Reading with hotspots: young children's responses to touchscreen stories. *Computers in Human Behaviors, 70*, 328–334.

Plester, B., Lerkkanen, M. -K., Linjama, L. J., Rasku-Puttonen, H., & Littleton, K. (2011). Finnish and UK English pre-teen children's text message language and its relationship with their literacy skills. *Journal of Computer Assisted Learning, 27*(1), 37–48.

Pokrivcakova, S. (2019). Preparing teachers for the application of AI-powered technologies in foreign language education. *Journal of Language and Cultural Education, 7*(3), 135–153.

Prensky, M. (2001). Digital natives, digital immigrants. *On the Horizon, 9*(5). https://www.marcprensky.com/writing/Prensky%20-%20Digital%20Natives,%20Digital%20Immigrants%20-%20Part1.pdf

Reich, S. M. et al. (2019). Digital or print? A comparison of preschoolers' comprehension, vocabulary, and engagement from a print book and an e-book. *AERA Open, 5*(3), 1–16.

Reinhardt, J. (2019). *Gameful second and foreign language teaching and learning*. Palgrave Macmillan.

Restak, R. M. (2012). *The big questions: Mind*. Quercus Editions.

Rios, J. A., Ling, G., Pugh, R., Becker, D., & Bacall, A. (2020). Identifying critical 21st-century skills for workplace success: A content analysis of job advertisements. *Educational Researcher, 49*(2), 80–89.

Roseberry, S., Hirsh-Pasek, K., Parish-Morris, J., & Golinkoff, R. M. (2009). Live action: Can young children learn verbs from video? *Child Development, 80*(5), 1360–1375.

Rosen, L. D., Chang, J., Erwin, L., Carrier, L. M., & Cheever, N. A. (2010). The relationship between "textisms" and formal and informal writing among young adults. *Communication Research, 37*(3), 420–440.

Ross, K. (2007). Teachers say text messages r ruining kids' riting skills. *American Teacher, 92*(3), 4.

Sari, B., Takacs, Z. K., & Bus, A. G. (2019). What are we downloading for our children? Best-selling children's apps in four European countries. *Journal of Early Childhood Literacy, 19*(4), 515–532.

Schmidt, M E., Pempek, T. A., Kirkorian, H. L., Lund, A. F., & Anderson, D. R. (2008). The effects of background television on the toy play behavior of very young children. *Child Development, 79*(4), 1137–1151.

Schmitt, N., Jiang, X., & Grabe, W. (2011). The percentage of words known in a text and reading comprehension. *The Modern Language Journal, 95*(1), 26–43.

Searle, J. (1980). Minds, brains and programs. *Behavioral and Brain Sciences, 3*(3), 417–424.

Shamir, A., & Shlafer, I. (2011). E-books effectiveness in promoting phonological awareness and concept about print: A comparison between children at risk for learning disabilities and typically developing kindergarteners. *Computers & Education, 57*(3), 1989–1997.

Sifferlin, A. (2015). 6-month-old babies are now using tablets and smartphones. *TIME.* https://time.com/3834978/babies-use-devices/

Sims, C. E., & Colunga, E. (2013). Parent-child screen media co-viewing: influences on toddlers' word learning and retention. *Proceedings of the Annual Meeting of the Cognitive Science Society, 35*(35), 1324–1329.

Singer, L. M., & Alexander, P. A. (2017). Reading on paper and digitally: what the past decades of empirical research reveal. *Review of Educational Research, 87*(6), 1007–1041

Statista (2020). *Most popular social networks of teenagers in the United States from fall 2012 to spring 2020.* https://www.statista.com/statistics/250172/social-network-usage-of-us-teens-and-young-adults/

STEAM (n.d.). *America's Army: Proving grounds.* https://store.steampowered.com/app/203290/Americas_Army_Proving_Grounds/

Stein, N. (1988). The development of children's storytelling skills. In M. B. Franklin & S. Barten (Eds.), *Child language: A reader* (pp. 282–297). Oxford: Oxford University Press.

Strouse, G. A., O'Doherty, K., & Troseth, G. L. (2013). Effective coviewing: Preschoolers' learning from video after a dialogic

questioning intervention. *Developmental Psychology, 49*(12), 2368–2382.
Strouse, G. A., & Troseth, G. L. (2014). Supporting toddlers' transfer of word learning from video. *Cognitive Development, 30*, 47–64.
Takacs, Z. K., Swart, E. K., & Bus, A. G. (2015). Benefits and pitfalls of multimedia and interactive features in technology-enhanced storybooks: A meta-analysis. *Review of Educational Research, 85*(4), 698–739.
Tsai, Y.-L., & Tsai, C.- C. (2018). Digital game-based second-language vocabulary learning and conditions of research designs: A meta-analysis study. *Computers & Education, 125*, 345–357.
UNESCO Institute for Statistics (2020a). *COVID-19 Educational disruption and response.* https://en.unesco.org/news/covid19-educationd-disruption-and-response
UNESCO Institute for Statistics (2020b). *What have we learnt? Overview of findings from a survey of ministries of education on national responses to COVID-19.* https://unesdoc.unesco.org/ark:/48223/pf0000374702
United States Census Bureau (2020). *Week 5 household pulse survey: May 28 – June 2.* https://www.census.gov/data/tables/2020/demo/hhp/hhp5.html#tables
van den Berghe, R., et al. (2019). Social robots for language learning: A review. *Review of Educational Research, 89*(2), 259–295.
Vogt, P., de Haas, M., de Jong, C., Baxter, P., & Krahmer, E. (2017). Child-robot interactions for second language tutoring to preschool children. *Frontiers in Human Neuroscience, 11.* https://doi.org/10.3389/fnhum.2017.00073
Vygotsky, L. S. (1978). *Mind in society: The development of higher psychological processes.* Harvard University Press.
Wang, Y. H., Young, S. S.-C., & Jang, J.-S. R. (2013). Using tangible companions for enhancing learning English conversation. *Educational Technology & Society, 16*(2), 296–309.
Weitekamp, D., Harpstead, E., & Koedinger, K. R. (2020). An interaction design for machine teaching to develop AI tutors. *Proceedings of the 2020 CHI Conference on Human factors in Computing Systems*, 1–11. https://doi.org/10.1145/3313831.3376226
Werker, J. F. (1989). Becoming a native listener. *American Scientist, 77*, 54–59.

Westlund, J. M. K. et al. (2017). Flat vs. Expressive storytelling: Young children's learning and retention of a social robot's narrative. *Frontiers in Human Neuroscience, 11*. doi: 10.3389/fnhum.2017.00295

Williams, R., Park, H. W., & Breazeal, C. (2019). A is for artificial intelligence: The impact of artificial intelligence activities on young children's perceptions of robots. *CHI 2019 Conference proceedings*. https://doi.org/10.1145/3290605.3300677

Wittgenstein, L. (1953/2001). *Philosophical investigations* (G. E. M. Anscombe, Trans.). Blackwell. (Original work published in 1953).

Wood, C., Jackson, E., Hart, L., Plester, B., & Wilde, L. (2011). The effect of text messaging on 9- and 10-year-old children's reading, spelling and phonological processing skills. *Journal of Computer Assisted Learning, 27*(1), 28–36.

Yee, N., & Bailenson, J. (2007). The Proteus effect: The effect of transformed self-representation on behavior. *Human Communication Research*, 33(3), 271–290.

Zhou, L., Li, F., Wu, S., Zhou, M. (2020). "School's out, but class's on", the largest online education in the world today: Taking China's practical exploration during the COVID-19 epidemic prevention and control as an example. *Best Evidence of Chinese Education, 4*(2), 501–519.

Zimmerman, F. J., Christakis, D. A., & Meltzoff, A. N. (2007a). Television and DVD/video viewing in children younger than 2 years. *Archiv. Pediatr. Adolesc. Med, 161*(5), 473–479.

Zimmerman, F. J., Christakis, D. A., & Meltzoff, A. N. (2007b). Association between video viewing and language development in children under age 2 years. *The Journal of Pediatrics, 151*(4), 346–368.

Zucker, T. A., Moody, A. K., & McKenna, M. C. (2009). The effects of electronic books on pre-kindergarten-to-grade 5 students' literacy and language outcomes: A research synthesis. *Journal of Educational Computing Research, 40*(1), 47–87.

その他

日本放送協会（2020）.「ところさん！　大変ですよ　何でもかんでも「動画」時代!?」2月20日放送

ちくま新書
1571

デジタルで変《か》わる子《こ》どもたち
――学習《がくしゅう》・言語能力《げんごのうりょく》の現在《げんざい》と未来《みらい》

二〇二一年五月一〇日　第一刷発行
二〇二三年二月二五日　第二刷発行

著　者　バトラー後藤裕子（ばとらー・ごとう・ゆうこ）
発行者　喜入冬子
発行所　株式会社 筑摩書房
東京都台東区蔵前二-五-三　郵便番号一一一-八七五五
電話番号〇三-五六八七-二六〇一（代表）
装幀者　間村俊一
印刷・製本　三松堂印刷 株式会社

ISBN978-4-480-07396-9 C0237

ちくま新書

1350
英語教育幻想
久保田竜子
英語は全世界の人々を繋ぐ？　英語力は経済的な成功に？　ネイティブ教師について幼少期から学習するのが良い？　日本人の英語信仰、その真偽をあぶりだす。

1298
英語教育の危機
鳥飼玖美子
大学入試、小学校英語、グローバル人材育成戦略……2020年施行の新学習指導要領をはじめ、日本の英語教育は深刻な危機にある。第一人者による渾身の一冊！

1354
国語教育の危機
――大学入学共通テストと新学習指導要領
紅野謙介
二〇二一年より導入される大学入学共通テスト。高校国語教科書の編集に携わってきた著者が、そのプレテスト問題を分析し、看過できない内容にメスを入れる。

1455
ことばの教育を問いなおす
――国語・英語の現在と未来
鳥飼玖美子
苅谷夏子
苅谷剛彦
大学入学共通テストへの記述問題・民間試験導入などで揺れ動く国語教育・英語教育。ことばの教育はどうあるべきなのか、3人の専門家がリレー形式で思考する。

1422
教育格差
――階層・地域・学歴
松岡亮二
親の学歴や居住地域など「生まれ」によって、子どもの学歴・未来は大きく変わる。本書は、就学前から高校まで教育格差を緻密に検証し、採るべき対策を提案する。

1337
暴走する能力主義
――教育と現代社会の病理
中村高康
大学進学が一般化し、いま、学歴の正当性が問われている。〈能力〉のあり方が揺らぐ現代を分析し、私たちが生きる社会とは何なのか、その構造をくっきりと描く。

1339
オカルト化する日本の教育
――江戸しぐさと親学にひそむナショナリズム
原田実
偽史・疑似科学にもとづく教育論が、教育行政に影響を与えている。欺瞞に満ちた教えはなぜ蔓延したのか。嘘がばれているのに、まかり通る背景には何があるのか。